教材项目规划小组
Teaching Material Project Planning Group

严美华　姜明宝　王立峰
田小刚　崔邦焱　俞晓敏
赵国成　宋永波　郭　鹏

加拿大方咨询小组
Canadian Consulting Group

Dr. Robert Shanmu Chen
Mr. Zheng Zhining
University of British Columbia

Dr. Helen Wu
University of Toronto

Mr. Wang Renzhong
McGill University

北京市高等教育精品教材

中国国家汉办规划教材

NEW PRACTICAL CHINESE READER

(2nd Edition)

1

新实用汉语课本

刘珣 主编

教师用书
INSTRUCTOR'S MANUAL

英文注释
Annotated in English

编　　者：张凯　刘社会　陈曦
　　　　　左珊丹　施家炜　刘珣
英译审订：Jerry Schmidt　余心乐

北京语言大学出版社
BEIJING LANGUAGE AND CULTURE
UNIVERSITY PRESS

（第2版）

图书在版编目（CIP）数据

新实用汉语课本教师用书：英文注释本.1 / 刘珣主编.
—2 版. —北京：北京语言大学出版社，2010.1（2015.7 重印）
ISBN 978-7-5619-2621-5

Ⅰ．新… Ⅱ．刘… Ⅲ．汉语－对外汉语教学－教学参考资料
Ⅳ. H195.4

中国版本图书馆 CIP 数据核字（2010）第 007439 号

书　　名：新实用汉语课本（第 2 版　英文注释）教师用书 1
中文编辑：王亚莉
英文编辑：侯晓娟
责任印制：汪学发

出版发行：北京语言大学出版社
社　　址：北京市海淀区学院路 15 号　　邮政编码：100083
网　　址：www. blcup. com
电　　话：国内发行　8610-82303650/3591/3651
　　　　　海外发行　8610-82300309/0361/3080/3365
　　　　　编辑部　8610-82303647
　　　　　读者服务部　8610-82303653
　　　　　网上订购电话　8610-82303908
　　　　　客户服务信箱　service@ blcup. com
印　　刷：北京联兴盛业印刷股份有限公司
经　　销：全国新华书店

版　　次：2010 年 1 月第 2 版　　2015 年 7 月第 4 次印刷
开　　本：880 毫米 ×1194 毫米　1/16　印张：10.25　插表：1
字　　数：196 千字
书　　号：ISBN 978-7-5619-2621-5/H·09311
　　　　　03500

感谢您选择《新实用汉语课本》（第2版）作为基础阶段的汉语教材。在使用本书以前，我们想先介绍一下第1、2册教材编写的思路和特点，以便您了解教材的全貌。

《新实用汉语课本》（第2版）第1册共十四课（其中第六课和第十四课为复习课），供每周5学时的汉语初学者第一学期12周使用。第一课至第六课按两周教3课计，4周学完；第七课至第十四课每周1课，8周学完。第2册共十二课（其中第二十课和第二十六课为复习课），每周1课，一学期学完。

一、有关语音阶段的教学任务和注意事项的建议（一～六课）

从语言结构教学角度来考虑，第一课到第六课可以看做是全书的语音阶段，从第七课起进入语法阶段。为什么一开始要有一个语音阶段呢？我们知道，任何一个第二语言学习者在开始学习的时候，都希望能掌握一口比较纯正的语音，都愿意与使用这种语言的人进行口头交际。而汉语语音有很多特点，对初学者来说往往也是难点，从一开始就打下牢固的、正确的语音基础又显得非常重要。即使对有家庭语言背景的、非真正零起点的学习者来说，纠正可能已形成的不正确的发音习惯，也需要下很大的工夫。因此，我们认为，无论是对哪种情况的初学者，都需要一个相对集中的阶段，通过较严格的训练学好语音；有了好的语音基础，不仅可以增强学习的兴趣和动力，而且可以使学习者永远受益。

第一课至第六课的主要教学任务是：

❶ 按现代汉语语音系统，循序渐进并突出重点地学好汉语的声母、韵母、四声及变调，熟悉汉语拼音方案，掌握词语的拼读规则，为今后的汉语学习打下较坚实的语音基础；

❷ 语音教学与课文的会话教学紧密结合，使学习者掌握在其初学阶段所急需表达和理解的功能项目（包括日常基本生活会话和课堂用语），并在学习的第一个月就有成就感；

❸ 按汉字结构规律学习汉字，从汉字的基本笔画、笔顺开始，结合字源和汉字分析，重点掌握最常用的基本汉字和非成字部件，并根据这些部件的组合规律能认、写本阶段出现的部分生词的汉字。这样做，主要是为今后的汉字学习打下基础，同时也能避免因只练语音、口语而产生单调的感觉，增强学习兴趣。

在这六课中需要注意的是：

❶ 语音阶段让学习者主要通过汉语拼音来掌握汉语的语音以及最基本的日常会话，课文中表现为突出拼音（拼音放在汉字的上排）。这样做的目的是加强语音和口语的教学。汉字和课文分开也有利于汉字按其本身规律教学。

❷ 语音教学采取循序渐进、稳扎稳打的方法。每课都确定一些集中练习的重点音素；每课的语音练习、会话练习及课堂用语，都以已出过的音素为限，不提前出本课未学的新音素。当然，在十分必要的情况下，任课教师在教学中因补充少量生词而突破本课所学的音素，还是可以的。

❸ 课文会话中出现了很多句型和语法点，目的是让学习者在学习说话的同时先初步接触一下这些句型和语法点的最简式，积累一定的语言材料并获得感性认识。从这个意义上说，这六课实际上成了全书语法结构教学四次大循环中的第一次循环。但本阶段除初步地介绍几种大的句式（形容词谓语句、是字句、动词谓语句以及两种提问方法）外，对句型和语法不作系统的讲授和操练，只要求学习者通过译文弄懂句子的意思，会用就行。本阶段教学重点是掌握语音和声调，能较为准确地说出课文中的句子，而正式的句型练习和语法点的介绍是从第七课才开始的。这六课中出现的各种句型和语法点以后将一一出现。

❹ 出于同样的考虑，本阶段语音练习中也以拼音形式出现了很多词语，并有英文注释。这些词语都只是作为巩固语音用的练习材料，也为今后正式学习这些生词打下基础，而并不要求学习者马上就全部掌握。学习者可从自己的兴趣和需要出发，自由习得。

❺ 为了帮助学习者找到一条学习汉字的门路，本阶段的汉字教学强调按汉字规律由易到难，从基本笔画、部首和部件学起，采用"语（口语）、文（汉字）适当分家"的做法。每课先选学一些常用、易学、组合能力强的基本汉字，而不是采用以往教材中一开始就"随文识字"，即课文中的汉字见一个学一个的做法。这六课中读写的重点是学好60个基本汉字及一些非成字部件。至于课文中已出现的汉字，能用已学部件组合的（共50多个）就学；暂时不能组合的（约60多个）以后再学。这些暂时不学的汉字也出现在课文中，主要是为了让学习者树立"汉语的书写形式是汉字"的意识。刚接触本教材时可能会觉得每课要多学一些与本课无关的汉字，增加了学习者的负担。需要说明的是，每课10个基本汉字都是紧密配合每课所教的语音而出的，并非与本课毫无关系。这些最基本、最常用的汉字，大多数既是组成生词常用的语素，也是组成合体字的常用部件，好比英文字母和英文生词的关系。学了这些部件，任何一个新的汉字对初学者来说就不再是一大堆复杂的线条。"磨刀不误砍柴工"，掌握基本汉字对今后组合新汉字大有好处。

　　需要说明的是，汉字部件的划分，目前还是学术界探讨、争论的问题；本书对汉字的分析和处理，主要从教学的需要出发，以方便第二语言学习者掌握为主要目的，也是一种尝试。如有的独体字对第二语言初学者来说比较生僻，本书就把它和非成字部件放在一起。欢迎老师们提出意见和建议，使这部分教学更为完善。

　　❻ 这六课只是比较集中地学习语音，但并不能解决全部的语音问题。语音教学还将延续到语法阶段，如词重音、词组重音、句调等内容将在以后的《综合练习册》中进行练习。

　　使用本教材时需要注意考虑不同学习者的情况。对于有家庭语言背景的非真正零起点的学习者来说，在本阶段学习中可以适当提高汉字认、写方面的要求，如要求掌握汉字课文，要求掌握全部生词的音、义、形。但有三点仍应坚持：

　　❶ 按每课要求进行系统的、较严格的语音训练。如果学习者已形成不正确的发音习惯，更需要及早纠正；

　　❷ 要求能准确掌握书中提供的口语会话和课堂用语，并能在交际中运用；

　　❸ 要求掌握汉字结构规律，能分析汉字基本部件。

　　对周课时较少的学习者来说，本阶段可适当降低在掌握口语会话方面的要求，但语音教学和汉字教学不能放松。

二、有关语法阶段的教学任务和注意事项的建议（七～二十六课）

　　从第七课开始正式进入系统的语法阶段。本册余下的八课，加上第二学期使用的第2册十二课共二十课，构成本书语法结构教学的第二大循环。在这二十课中，学习者能接触到汉语基础语法的主要内容。

本阶段的教学任务是：

　　❶ 学习者能正确、熟练地掌握每课重点练习的汉语基本句型和词语的用法；

　　❷ 学习者能就每课课文的话题及重点练习的功能项目在实际生活中与说汉语者进行初步的听说读写的交际，并在每课所涉及的话题范围内，掌握用汉语进行交际所必须的文化知识，特别是习俗文化知识；

　　❸ 学习者继续按汉字结构规律认、写汉字，扩大汉字学习量；

　　❹ 继续对学习者在语音上严格要求，巩固并提高其汉语语音能力，对语音的进一步练习主要通过《综合练习册》进行。

在语法阶段需要注意的是：

❶ 关于重点句型和重点词语的教学

长期的教学实践使很多语言教师形成了这样的共识：掌握语言结构是培养成人第二语言交际能力的基础。本书也同意这种看法。根据对语言认知的研究，成人在学习一种第二语言的过程中必然要运用其思维能力，自觉或不自觉地通过总结组词、组句的规律来达到掌握语言的目的，而不可能一味地盲目模仿或死记硬背。过分强调自然地、无序地接触语言现象，对课文中出现的词汇和句型不加控制，未必是成人掌握语言的捷径。尤其是学习与其母语相距甚远且本身带有很多特点的汉语，更需要教材的编者和教师按一定的系统性、循序渐进地展示语言结构，引导学习者正确地总结组词、组句的规则，以指导交际运用。因此，本书在强调会话交际的同时，十分重视打好语言结构的坚实基础。

本书每课所介绍的重点句型主要体现在"语法"部分；重点词语的用法主要体现在"注释"部分。这些重点句型和词语都在"练习与运用"中反复操练。并非课文中出现的每个新句型和词语都要在该课中加以练习，有的是属于提前出现的，有的是先接触以后再归纳总结，对这类句型或词语，学习者在该课只要通过注释了解其意思就行，在以后的某一课将进行重点练习（本《教师用书》中每课都有说明）。

"练习与运用"中所列的核心句，概括了该课的重点句型和重点词语，熟练掌握这些句子对学习者大有好处。

重视语言结构的教学并不意味着要求教师大讲语法知识。本书的"注释"、"语法"部分只是极其简要地总结组词、组句的规则，尽量少用语法术语系统地讲授语法知识。我们也希望老师们在课上进行了大量练习以后，能画龙点睛地总结一下语法规则。至于本《教师用书》中的"教师参考语法知识"，只是供教师参考用，并不是要向学习者讲解的。

❷ 关于生词教学

生词中凡语音阶段已出现但当时未要求掌握汉字的，均用*号注出。每课所列的补充生词一般与该课的话题或功能有关，且出现在练习中。但补充生词不要求学习者全部掌握（在练习中第一次出现时会注拼音）。希望在进行练习时，首先练好本课要求掌握的生词。课时少的学习者可以不练补充生词；对非真正零起点的学习者则可以要求掌握这些补充生词。

在生词教学中应强调两点：一是要加强对组成生词的语素——即每个汉字的形和义的认、记，以有利于学习者了解汉语词语的结构规律，收到举一反三的效果；二是加强扩展词组的练习，以有利于学习者掌握词的用法，也便于学习者提高组句的能力。

附带说明一下：书中生词标"**V O**"的，是词组，拼音分开，如"打电话dǎ diànhuà"、"打球dǎ qiú"；标"**VO**"的是离合词，拼音连写，常作为一个词使用，但可以在中间插入其他成分，如"吃饭"→"吃早饭"、"吃了饭"；"上课"→"上汉语课"、"上两小时课"。

❸ 关于功能与话题的教学

词语和句型教学的目的，是为了使学习者能理解和表达一定的功能，能就课文中提出的话题进行交际，否则就失去其意义了。因此，必须把词语和句型的教学引向功能和话题的教学。"练习与运用"部分，从机械性掌握词语、句型替换开始，进而围绕一定的功能项目进行会话练习，最后则进行接近于真实语言情境的交际性练习。尽管这种会话练习和交际性练习仍然要受到学习者现阶段所掌握的词语、句型或者说整体语言水平的限制，仍是有控制的，但希望教师能重视这部分的教学，鼓励学习者勇于交际，培养其运用汉语的习惯。

❹ 关于汉字的教学

本阶段要继续坚持语音阶段汉字的教学模式，即先学基本汉字和非成字部件，然后组合成本课出现的新汉字或生词。汉语中常用的组字部件为数不多，随着学习的深入，每课出现的新部件就愈来愈少（前六课留下的汉字也很快就补上了）；而学习者则在此过程中逐步掌握部件分析的方法，并熟悉汉字的结构规律，汉字的认、记也会变得愈来愈容易。在《课本》所附的"汉字索引"中，汉字后的数字是指教写该汉字的课次。如"朋 4"表示第四课教写"朋"字。在《综合练习册》中，我们根据汉字的结构对已学汉字进行总结，帮助学习者复习、巩固。

❺ 关于语音教学

语音阶段过去以后，对语音的要求仍不能放松，否则会前功尽弃。特别是在教生词或读课文时，仍要严格纠正语音语调；在进行会话练习或交际性练习时也要用适当的方式指出学习者语音语调方面的问题。作为语音阶段语音教学的延伸，本阶段除了巩固语音、声调外，还要进行有关词重音、词组重音及句子语调方面的训练。对此，《教师用书》中有语音知识的介绍，在《综合练习册》中有专门的练习，希望教师能进行一定的指导。

三、本《教师用书》的主要内容

❶ **教学目的**：列出每课教学的重点。

❷ **教学步骤建议**：语音阶段和语法阶段各提出一两课教学步骤的参考方案。

❸ **内容说明**：从本册教材内容安排的角度，对本课所教的语音、语法、词汇、

汉字及功能话题、课文情境作必要的说明，特别注明按编者的设计哪些是本课需要重点处理的，哪些是留待以后再练的。

❹ 语音知识：包括《课本》（前六课）所作的语音说明、《综合练习册》中少量的复习、小结和给老师们参考的与本课有关的语音知识以及后八课语音教学的说明。

❺ 语法知识（后八课）：包括《课本》中的注释与语法、《综合练习册》中少量的复习、小结以及专门给老师们参考的与本课有关的语法知识。

❻ 供教师们参考的文化知识。

❼ 《综合练习册》中听说练习的部分参考答案及听力文本。

❽ 单元测试：本书提供两套单元测试（一至六课为一单元，七至十四课为一单元），每套均包括笔试试卷、笔试参考答案和口试试卷三份材料。

❾ 附录中提供第1册《综合练习册》的使用说明。

最后，我们再强调一下：为了适应不同的教学情况和不同学习者的需要，本教材提供了比较丰富的教学内容，供教师和学习者选用。其中每课的课文与生词、练习与运用和汉字这三个部分，是希望能首先选用的核心内容。

编　者
2010年1月

第一课 Lesson 1

你 好

一、教学目的

1 语音

六个声母（b p m n l h）——难音为b、p；

六个单韵母（a o e i u ü）——难音为ü；

六个复韵母（ao en ie in ing uo）——注意ie中e的发音；

四个声调以及两个三声在一起时的变调。

2 在练好语音和声调的基础上，能准确地读出并流利地运用课文中的会话，尤其是核心功能句式。初步学会运用最简单的"打招呼"及"问候"两个功能项目。

3 掌握汉字

（1）掌握汉字的基本笔画；

（2）会认、会写十个基本汉字：一、八、力、门、也、马、女、五、木、火；

（3）会认、会写课文中已出现的汉字：林。

二、教学步骤建议（以下五课基本相同）

教无定法，不同的教师有不同的教学方法。本教材中课文、生词、注释、练习、语音、语法、汉字等部分出现的先后顺序，并不一定就是教师在课堂教学中处理这些内容的固定顺序。同样，下面介绍的教学步骤，也只是一种建议，不是唯一的（不同的课文和语法句型，还应采取不同的教学步骤），只是供老师们参考。

1. 播放课文对话录音，让学生了解到本课是学习用汉语打招呼、问候，以引起学习动机。也可以先让学生模仿一下，说明要准确地发音、让中国人听懂必须从音素、声调练起。

2. 进行第二部分中的语音练习，共六项。书中的练习内容是紧密结合本课生词和基本汉字编写的。"拼音"部分要练习拼读本课新音素以及新音素与已学音素的拼读，都用第一声进行，以免声调干扰新音素的学习，同时第一声是基本声调，读准了能起到定调的作用；"四声"部分主要练习本课生词和词语的音和调；"辨音"、"辨调"是练习分辨音和调的，其中也包括了本课所要学的全部基本汉字；"课堂用语"部分也是围绕本课所出的音素编写的，希望老师们能在课堂上尽量使用这些已学过的课堂用语，逐步减少学生母语的使用。

　　3. 练习本课生词和课文会话。可采用范读、领读、学生轮读等教学方法，最后做到不看书进行对话，并进行第二部分中的会话练习。

　　4. 对本课的语音、语法规律（书中第三、第四部分）作一简略小结，适当回答学生的问题，但不必大讲语音、语法知识。尤其是语法方面，决不要超过课本上"注释、语法"介绍的范围，像形容词谓语句和用"吗"的是非问句第二课才正式介绍，"你呢"省略问句以及"也"的位置等将在第七课讲。所有这些，本课先不要讲，学生通过英译弄懂意思、会说就行。

　　5. 按书中第五部分的安排进行汉字教学，重点在汉字的六种基本笔画及课本中出现的十个基本汉字，要求会认、会写（按正确的笔顺）。注意：生词及课文中的汉字，除了"也"、"林"以外，不要求学生在本课掌握。每课要求认写汉字的生词，在"生词"一栏中都标为红色；未标为红色的生词，只要求正确发音、会说，不要求会写汉字。

三、内容说明

　　1. 本课出现的语音、声调、汉字对学生来说都是比较生疏的，不能要求学生在第一次接触时就能把一切都弄清楚，有些语音、语法、文化知识以后会陆续提到，重要的是要引起学生学习汉语语音和汉字的兴趣。另一方面，语音、声调的练习是本册前六课的重点，要保证足够的教学时间，用领读、齐读、轮读等方式，让学习者在课堂上多开口、多练习，并进行较严格的纠音。

　　2. 本书的整个场景是在中国北京，书中的人物不必多花时间介绍。

　　3. 课堂用语中出现了轻声：Nǐmen hǎo。这里先不必讲解（下一课讲轻声），但在领读时要读出轻声来。

四、本课语音知识

1　声母和韵母

　　现代汉语普通话的音节一般是由声母和韵母两部分组成的。声母是音节开头的辅音，其余部分是韵母。如"píng"，p 是声母，ing 是韵母。一个音节可以没有声母，如"yě"，但不能没有韵母。普通话里共有 21 个声母，38 个韵母。

（1）声母

b［p］双唇不送气清塞音，像英语"speak"中的"p"，不送气，是清音。

p［p'］双唇送气清塞音，像英语"park"中的"p"，送气，也是清音。

注意：

1. 以英语为母语的学习者容易将汉语中的 b［p］及后面几课将要学到的 d［t］、g［k］读成英语中的浊塞音［b］、［d］、［g］，如英语"book"中的"b"、"desk"中的"d"、"good"中的"g"。出现这样的问题时，应提醒学习者汉语中的 b、d、g 是清音，发音时声带不振动，也不送气；

2. 以英语为母语的学习者容易将汉语中的 p［p'］（及后面几课将要学到的 t［t'］、k［k'］）读成不送气的清塞音［p］、［t］、［k］。出现这样的问题时，应提醒学习者汉语中的 p、t、k 是清音，发音时声带不振动，同时还要送气，从口腔中呼出的气流较为强烈。教师可以用一张又轻又薄的纸来示范汉语中的送气音与不送气音。将纸放在嘴前，发 b、d、g，纸不动；再发 p、t、k，纸明显飘动。

m［m］双唇浊鼻音，和英语中的"m"相同。

（b、p、m 发音部位相同，都是双唇音。发 b 时，紧闭双唇，让口腔气流爆发而出，声带不振动。p 与 b 的发音方法相同，所不同的是，p 要用力吐出气流。送气与不送气有区别意义的作用。发 m 时，紧闭双唇，让气流从鼻腔通过，声带同时振动。）

n［n］ 舌尖中浊鼻音，和英语中的"n"相同。

（发音时，舌尖抵住上齿龈，让气流从鼻腔通过，声带同时振动。）

l［l］ 舌尖中浊边音，和英语中的"l"相同。

（发音时，舌尖位置比发 n 稍后，气流从舌头的两边通过。）

h［x］ 舌根清擦音，像英语中的"h"。

（发音时，舌根接近软腭，气流从狭缝中摩擦而出，声带不振动。）

（2）韵母

单韵母：

a［A］舌位低，开口度大，不圆唇的前元音。

（发音时，把嘴张到最大，气流自然呼出，声带振动。）

o［o］ 舌位半高，圆唇后元音。

（发音时，嘴唇成圆形，气流自然呼出，声带振动。）

注意：以英语为母语的学习者容易将 o 发成英语"hot"中的"o"，发音时，舌位比汉语中的 o 要低。出现这样的问题时，应提醒学习者将舌位稍稍抬高，开口度缩小。

e [ɤ] 舌位半高，偏中央，开口度中等，不圆唇前元音。

（发音时，先作发 [o] 音的口型，然后嘴唇后缩，不再圆唇，同时声带振动，就是 e 音。）

注意：以英语为母语的学习者容易将 e 发成英语"her"中的"er"，发音时，口腔比汉语中的 e 要松弛。学习者发不好 e 时，可以让他先发 o，然后慢慢展唇，这样就可以由圆唇的 o 改为不圆唇的 e。

i [i] 舌位高，开口度最小，不圆唇前元音。

（发音时，嘴唇微开，舌前部抬到最高，气流从舌尖通过，声带振动。）

u [u] 舌位高，圆唇后元音。

（发音时，圆唇，舌前部抬到最高并后缩，气流自然呼出，声带振动。）

注意：以英语为母语的学习者容易将 u 发成英语"book"中的"oo"，发音时，舌位比汉语中的 u 要低，并且口腔较为松弛。出现这样的问题时，应提醒学习者将舌位稍稍抬高，开口度缩小，并保持口腔紧张，嘴唇尽量向前伸，类似吹蜡烛时的口型。

ü [y] 舌位高，圆唇前元音。

（ü 是跟 i 相对应的圆唇元音。发音时，先发出 [i] 音，然后逐渐把嘴唇撮圆，舌位不要移动，让气流自然通过，就发出 [y] 音。）

注意：以英语为母语的学习者容易将 ü 发成 u 或者 iu。学习者发不好 ü 时，可以让他先发 i，然后慢慢圆唇，这样就可以由不圆唇的 i 改为圆唇的 ü。

普通话舌面单元音韵母舌位唇形图

复韵母:

ao[ɑu]　前响复韵母。

　　　　（发音时，舌位自然地由 ɑ 向 o 方向移动，前面的 ɑ 要发得长而响亮，后面的 o 要念得轻而模糊。）

　　注意:

　　1. 学习者容易将复韵母看做两个单元音，如将 ao 看做 ɑ 和 o 两个单韵母。出现这样的问题时，应提醒学习者复韵母的发音特点，要将动程读出来。

　　2. 以英语为母语的学习者容易将 ao 发成英语"hot"中的"o"(单元音)，应注意纠正。

ie[iɛ]　后响复韵母，像英语"yes"中的"ye"。

　　　　（ie 中的"e"是单韵母 ê，读作［ɛ］，不要读成［ɤ］。发音时，i 要念得很短，紧接着发 ê，ê 比 i 要念得长而且响亮。）

uo[uo]　后响复韵母。

　　　　（发音时，先发［u］音，然后开口度变大，使［u］音过渡到 o，u 要发得短而轻，o 要发得长而响。）

　　注意: 学习者容易将 uo 发成 o（单元音）。出现这样的问题时，应提醒学习者复韵母的发音特点，要将动程读出来。

en[ən]　舌尖鼻韵母。

　　　　（发音时，先发元音［ə］，然后用舌尖堵住气流，让气流从鼻腔通过。）

in[in]　舌尖鼻韵母。

　　　　（发音时，先发 i，舌尖抵住上齿龈，让气流从鼻腔通过。）

ing[iŋ]舌根鼻韵母。–ng 的发音像英语"bang"中的"-ng"，不要把"g"音发出来。

　　　　（ing 的发音方法同 in，只是发音时舌根抵住软腭，让气流从鼻腔通过。）

2　声调

汉语是声调语言。声调有区别意义的作用。普通话有四个基本声调。如:

　　　　　　　bā　　bá　　bǎ　　bà

声调符号: 第一声标"ˉ"，第二声标"ˊ"，第三声标"ˇ"，第四声标"ˋ"。

五度标记法:

当一个音节只有一个元音时，声调符号就标在元音字母上，如 lù、hěn。调号标在元音 i 上时，应将 i 上的点儿去掉，如 nǐ、nín、píng。当一个音节是复韵母时，调号一般应标在开口度最大的元音上，如 hǎo。

元音开口度由大到小依次为：a o e i u ü

3 三声变调

两个第三声连在一起、中间没有停顿时，前一个读第二声，拼写时调号仍标"ˇ"。如：

Nǐ hǎo. → Ní hǎo.　　　　Wǒ hěn hǎo. → Wó hén hǎo.
hěn hǎo → hén hǎo　　　　Yě hěn hǎo. → Yé hén hǎo.

注意：三个及三个以上的三声连在一起时，前面都读二声，只留最后一个读三声，但这并非是唯一的读法。如果前面某个三声后稍有停顿，则该三声仍保留原来的声调，如："Wǒ hěn hǎo." 可以读成 "Wó hén hǎo."，也可以读成 "Wǒ hén hǎo."。

4 拼写规则

i 自成音节时，在 i 前面加 y，如 yī。i 开头的复韵母自成音节时，如 ie，应将 i 改成 y，如 yě。

u 自成音节时，在 u 前面加 w，如 wǔ。u 开头的复韵母自成音节时，如 uo，应将 u 改成 w，如 wǒ。

ü 自成音节时，在 ü 前面加 y，去掉 ü 上的两点，如 yǔ。

 五、《综合练习册》中部分练习答案和听力文本

听说 练习　Listening and Speaking Exercises

1

① b　　② l　　③ p　　④ o　　⑤ en
⑥ ing　　⑦ huo　　⑧ li　　⑨ pu　　⑩ nie

2

① á　　② ǐ　　③ ēn　　④ uǒ　　⑤ hù
⑥ báo　　⑦ pīn　　⑧ nǐ　　⑨ mò　　⑩ lú

3

① mǎ ② lì ③ huǒ ④ nín ⑤ yě

⑥ Lín Nà ⑦ hěn hǎo ⑧ Lù Yǔpíng ⑨ nǐ ne ⑩ pà lǎohǔ

4

① B ② C

6

听力文本

① A：你好吗？
   B：我很好，你呢？

② 林娜：力波，你好！
   力波：你好，林娜。

③ A：老李，你好吗？
   B：我很好，你呢？
   A：我也很好。

7

听力文本

你好。

你好吗？

很好。

也很好。

你呢，力波？

8

听力文本

林娜：你好，力波！
力波：林娜，你好。
林娜：你好吗？
力波：我很好。你呢？
林娜：也很好。

第二课
Lesson
2

你忙吗

一、教学目的

1 语音

五个声母（d t g k f）——d、t, g、k 两组送气与不送气相对的声母仍是重点；
七个复韵母（ei ou an ang eng iao iou（-iu））；
轻声。

2 在练好语音和声调的基础上，能准确地读出并流利地运用课文中的会话，尤其是核心功能句式，初步学会运用"问候别人"和询问与表达"需要"这两个功能项目。

3 掌握汉字

（1）会认、会写十个基本汉字：丁、刀、又、大、口、土、六、不、尼、可；
（2）会认、会写课文中已出现的汉字：吗、呢、妈（妈）、哥（哥）。

二、教学步骤建议

基本同第一课。但要增加复习检查的环节，即检查前一天所学的语音（可采用认读或听写等方法），发现问题，加以纠正；复习前一课课文，进行问答与会话。然后再开始本课的教学。

三、内容说明

1. 本课中又出现两组送气音和不送气音 d、t 和 g、k，要联系上一课的 b、p 这一组，作为语音训练的重点，加强练习。这三组音本身发音并不困难，要让学习者利用发音不难的条件掌握好送气与不送气的区别。解决了这个问题，将有利于学习以后出现的另三组发音较难的送气与不送气音。

2. 本课开始出现"双音节连读"，所列的词是用来练语音和声调的，也可以看做是本课的补充生词。根据需要与可能，可以用来进行句型替换或会话练习，但不要求学习者全部掌握。

3. 本课与上一课的主要句型是形容词谓语句，对此，本课语法部分作了简单的介绍，到第十课还要对形容词谓语句作进一步总结。本课第二段课文出现了动词谓语句，这里先不讲，到第六课再进行归纳。本课隐含的语法点还有人称代词作定语（你爸爸，你男朋友）以及副词"都"、"也"、"不"的位置等，本课也先不讲（到第七课再讲），让学习者通过译文掌握意思，并能运用就行。这样处理，是为了把主要精力用于语音教学。

4. 本课先掌握好"不"的原声调（第四声）。"不"的变调将在第三课归纳。

5. 丁力波的父母即是《实用汉语课本》的两位主人公古波和丁云，他们现在加拿大定居，丁云的母亲——丁力波的外婆家仍在北京。本课的情景（如学生问起）可以设想为丁力波兄弟在北京外婆家。

 四、本课语音知识

1 声母

t [t'] 舌尖中送气清塞音，像英语"tag"中的"t"。

（发音时，舌尖抵住上齿龈，让一股较强的气流冲出，声带不振动。）

d [t] 舌尖中不送气清塞音，像英语"stay"中的"t"。

（发音时，舌尖抵住上齿龈，气流冲开舌尖阻碍，爆发成声，声带不振动。）

f [f] 唇齿清擦音，像英语"f"。

（发音时，上齿轻抵下唇，气流从唇齿间通过，声带不振动。）

k [k'] 舌根送气清塞音，像英语"kangaroo"中的"k"，送气音。

（发音时，舌根抵住软腭，气流冲破舌根阻碍爆发而出，用力送气，声带不振动。）

g[k] 舌根不送气清塞音。

（发音时，舌根抵住软腭，气流冲破舌根阻碍爆发而出，但不送气，声带也不振动。）

2 韵母

复韵母：

ei[ei]　前响复韵母，像英语"play"中的"ay"。

（发音时，先发e，然后向i的方向移动，e要念得长而响亮，i要念得短而轻，而且很模糊。）

注意：以英语为母语的学习者容易将ei发成英语"red"中的"e"（单元音）。出现这样的问题时，应提醒学习者复韵母的发音特点。

ou[ou]　前响复韵母，像英语"so"中的"o"。

（发音方法与发ao相同。发ou时，o要念得长而响，u要念得短而轻，而且比较模糊。）

注意：学习者容易将ou发成o或者u（单元音）。出现这样的问题时，应提醒学习者复韵母的发音特点。

an [an]　舌尖鼻韵母，像英语"can"中的"an"。

（发音时，先发a，开口度很大，然后用舌尖堵住气流，让气流从鼻腔通过。）

ang[aŋ]　舌根鼻韵母。

（ang是与an相对应的后鼻音。发音方法与发an相似。发ang时，用舌根堵住气流，让气流从鼻腔通过。）

eng [əŋ]　舌根鼻韵母。

（eng是与en相对应的后鼻音。发音时，先发元音[ə]，然后用舌根堵住气流，让气流从鼻腔通过。）

iao [iau]　中响复韵母。

（发音时，先发一个很短的i，然后发ao，中间的a要念得最响，两头的i和o都念得比较轻。）

iou [iou]　中响复韵母。

（发音时，开头的i和结尾的u要念得比较轻，o要念得比较响。）

3 轻声

汉语普通话里有轻声音节，轻声要读得又轻又短，拼写时，轻声没有调号，如：

吗 ma　　　呢 ne　　　们 men

4 拼写规则

复韵母 iou〔iou〕跟声母相拼时，简写为 -iu，如：liù，调号放在"u"的上面。

五、《课本》及《综合练习册》中部分练习答案和听力文本

（一）《课本》中的练习

本课语音练习部分双音节连读中出现了"爷爷"、"妹妹"和"饮料"、"可乐"、"苹果"、"米饭"等补充词语，可分别用在会话练习（3）、（5）和（6）中。

（二）《综合练习册》中部分练习答案和听力文本

● **听说**练习 Listening and Speaking Exercises

1

| ① t | ② g | ③ f | ④ ei | ⑤ ou |
| ⑥ eng | ⑦ tiao | ⑧ diu | ⑨ kan | ⑩ fei |

2

| ① tǎn | ② dù | ③ yóu | ④ fěi | ⑤ gēng |
| ⑥ kàng | ⑦ liú | ⑧ piǎo | ⑨ bèi | ⑩ kàn |

3

| ① dīng | ② kǒu | ③ téng | ④ bù | ⑤ gāng |
| ⑥ péngyou | ⑦ hěn máng | ⑧ gēge | ⑨ dōu yào | ⑩ hē kāfēi |

4

| ① B，C | ② A | ③ C，D | ④ B，D | ⑤ C |

6

| ② A. (F) | B. (F) | C. (F) |

【听力文本】

林　娜：雨平，你好吗？

陆雨平：我很好，林娜，你呢？

林　娜：我也很好，你爸爸、妈妈好吗？

陆雨平：他们都很好。你男朋友好吗？

林　娜：他很好。他很忙。

陆雨平：你忙吗？

林　娜：我不忙。你呢？

陆雨平：我很忙。

7

【听力文本】

不忙　妈妈　他们　男朋友　咖啡　哥哥

8

【听力文本】

也　妈妈　哥哥　吗　呢

9

【听力文本】

林娜：力波，你要咖啡吗？

力波：我要咖啡。

弟弟：我也要咖啡。

林娜：你们都要咖啡，我也喝咖啡。

她是哪国人

第三课
Lesson
3

一、教学目的

1 语音

四个声母（zh ch sh r）；

一个单韵母（-i［ꭤ］）；

三个复韵母（ai uai ong）。

2 在练好语音和声调的基础上，能准确地读出并流利地运用课文中的会话，尤其是核心功能句式，初步学会运用"认指人"、"问国籍"这两个功能项目。

3 掌握汉字

（1）会认、会写十个基本汉字：人、十、匕、中、日、贝、玉、矢、生、者；

（2）会认、会写课文中已出现的汉字：她、他、们、你、那、哪、娜、都、老师、中国、医生、是。

二、教学步骤建议

基本同第一、二课，略。

三、内容说明

1. 本课出现的声母 zh、ch、sh、r 是一组难音，而 zh、ch 又是其中的一对送气音与不送气音。在练好这四个发音部位基本相同的一组音时，要特别注意发音方法不同的这一对送气与不送气音。

2. 本课开始有规律地练习声调组合。本课出现的是第一声、第二声分别与四个声调及轻声的组合（这两个组合第五课还要出现一次），该项练习中的第一个词一般是已学过的，后面的新双音节词也是基本的、常用的。附上译文，由学生自由选择吸收。

3. 本课会话的重点句式是"是"字句。汉语"是"字句的结构与英语相同，学生不难接受，但需要反复练习、熟练掌握。有关"是"字句的语法总结在下一课，老师在本课也可适当点一下。

在前两课巩固了单数第二人称"你"的用法以后，本课出现了"您"。应说明这是礼貌用语，学生对老师一般应称"您"。中国南方这个词用得较少。

4. 本课功能项目主要是"认指人"和"问国籍"，"介绍别人"实际是上述两个功能项目在不同场合的应用。三项都需要用"是"字句。

双音节连读中补充的两组词"职业"与"国名"可用来作适当替换。

5. 本课的情景可理解为力波与哥哥、外婆及一位朋友游颐和园，见到陈老师，力波向陈老师介绍家里人和朋友。

四、本课语音知识

1 声母

zh [tʂ]　舌尖后不送气清塞擦音，像英语"jerk"中的"j"，但舌尖更向后卷，不送气。

（发音时，舌尖翘起，抵住硬腭前部，气流冲开舌尖阻碍，摩擦而出，声带不振动。）

ch [tʂʻ]　舌尖后送气清塞擦音，像英语"church"中的"ch"，但舌尖更向后卷，送气。

（ch 的发音跟 zh 相同，所不同的是气流冲开舌尖阻碍时，要用力送气。）

sh [ʂ]　舌尖后清擦音，像英语"ship"中的"sh"，但舌尖更向后卷。

（发音时，舌尖接近硬腭前端，形成缝隙。气流从舌尖与硬腭形成的缝隙间，摩擦而出，声带不振动。）

注意：以英语为母语的学习者容易将汉语中的 zh、ch、sh 读成英语中的舌叶音，如英语"bridge"中的"dge"，"church"中的"ch"，"ship"中的"sh"。这两组音相似，但不同。出现这样的问题时，应提醒学习者：汉语中的 zh、ch、sh 是舌尖后音，发音时舌尖与硬腭前部形成阻碍（舌叶音是舌叶与硬腭前部形成阻碍），同时舌尖更向后卷。

r ［ẓ］舌尖后浊擦音，像英语"right"中的"r"，但双唇不圆，舌尖更向后卷。

（r 的发音与 sh 同，是和 sh 相对的浊音。它们的不同之处是，发 r 时，气流从舌尖与硬腭形成的缝隙间轻微地摩擦而出，声带要振动。）

2 韵母

单韵母：

-i ［ʅ］舌尖后元音。用字母 i 来表示。它只跟声母 zh、ch、sh、r 相拼。不要把 zhi、chi、shi、ri 后边的 -i 读成 i ［i］。

（发 -i ［ʅ］时，先发声母 zh、ch、sh、r，舌位与嘴形不变，把尾音拉长，就是 -i ［ʅ］的音。）

复韵母：

ai［ai］前响复韵母，像英语"sky"中的"y"。

（发音时，［a］靠前，开口度由大变小，直到接近于发［i］，［a］要念得长而响，［i］要念得短而轻，而且比较模糊。）

注意：以英语为母语的学习者容易将 ai 发成英语"have"中的"a"（单元音）。出现这样的问题时，应提醒学习者复韵母的发音特点。

uai［uai］中响复韵母。

（发音时，先发 u，然后滑到 ai，开头的 u 和结尾的 i 要发得又短又轻，a 要发得又长又响。）

ong［uŋ］舌根鼻韵母。

（发音时，先发元音 u，开口度比 u 稍大，舌位不下降，舌根抵向软腭，让气流从鼻腔通过，就会发出 ong。）

3 三声变调

第三声在第一、二、四声和绝大部分轻声字的前面时，要读成半三声，即只读三声下降的前半部分，而不再上升，其调号不变，如：

nǐ gēge　　　Měiguó　　　hěn dà　　　wǒ yào

Nǐ máng ma?

4 "不"的变调

"不"的本调是第四声。但"不"在第四声之前，就变为第二声。如：

bù hē　　　bù máng　　　bù hǎo

bú shì　　　bú yào

五、《综合练习册》中部分练习答案和听力文本

听说 练习 Listening and Speaking Exercises

1

1 ch   2 sh   3 r   4 ai   5 ong

6 uai   7 zhai   8 shuai 9 chong   10 reng

2

1 zhì   2 chuǎi   3 shéng 4 rǎo   5 kāi

6 tòng   7 zhǎn   8 chóng 9 shuài   10 rú

3

1 shēng   2 zhì   3 chě   4 rén   5 guāi

6 Zhōngguó 7 lǎoshī   8 yīshēng 9 chīfàn   10 wàiyǔ kè

4

1 B   2 A   3 C   4 C   5 D

6

2 F T T

听力文本

林　娜：力波，那是谁?

丁力波：那是陈老师，她是外语老师。

林　娜：她是哪国人?

丁力波：她是中国人。

林　娜：那是谁?

丁力波：他是我哥哥。

林　娜：他也是老师吗?

丁力波：他也是老师。

7

听力文本

外婆　　奶奶　　中国　　朋友　　谁　　医生

8

听力文本

中国人　　老师　　林娜　　都　　你们　　那是

9

听力文本

陈老师：那是谁？

丁力波：他是我哥哥，他也是老师。

哥　哥：陈老师，您好！

林　娜：力波，你哥哥是中国人吗？

丁力波：我哥哥不是中国人。

林　娜：你外婆是中国人吗？

丁力波：我外婆是中国人。

第四课
Lesson
4

认识你很高兴

一、教学目的

1 语音

掌握三个声母（j q x）；

七个复韵母（ia ian iang uei（-ui） uen（-un） üe üan）。

2 在练好语音和声调的基础上，能准确地读出并流利地运用课文中的会话，尤其是核心功能句式，初步掌握课文会话内容并初步学会运用"请求允许"、"问姓名"、"自我介绍"等功能项目。

3 掌握汉字

（1）会认、会写十个基本汉字：七、小、心、水、月、手、田、白、只、言；

（2）会认、会写课文中已出现的汉字：认识、语言、汉语、您、朋友、贵姓、叫、的。

二、教学步骤建议

基本同第一、二课，略。

三、内容说明

1. 本课语音教学的重点是声母 j、q、x，这三个音素对很多国家的学生来说都是比较困难的。

2. 本课的声调组合是第三声、第四声分别与四个声调及轻声的组合。

3. 本课对"是"字句进行初步归纳，课文中同时出现的动词为"姓"、"叫"的动词谓语句，在语法、语义功能上与"是"字句相同，都是连接两个对等的部分。这个问题现在不必讲。

表达"请求允许"功能的"可以……吗"句式只要能用好课文中的句了就行，不必扩大替换范围（目前也不可能）。

"认识你很高兴"可作为习惯用语让学生掌握，无需分析其结构。

"问姓名"是本课重点功能项目，可多练习"您贵姓"、"你姓什么"的句式。

"自我介绍"也是一项非常重要的功能项目，应要求每个学习者都能像课文（二）那样简单地介绍自己。

4. 双音节连读中"太太"、"小姐"等称呼词语可用于"问姓名"中适当替换，"英语"、"法语"等词语可用于"我学习汉语"这一句式中的适当替换。

四、本课语音知识

1 声母

j［tɕ］　舌面不送气清塞擦音。

q［tɕʻ］　舌面送气清塞擦音。

x［ɕ］　　舌面清擦音。

j、q、x是舌面前音。发j、q时，前舌面贴住硬腭，舌尖顶下齿背，气流摩擦而出，声带不振动，所不同的是，j是不送气音，q是送气音。发x时，舌面前部与硬腭接近，气流从中摩擦而出。j、q、x只能跟韵母i和ü或者以i或ü开头的复韵母相拼。

> 注意：以英语为母语的学习者容易将汉语中的j、q、x也读成英语中的舌叶音，如英语"bridge"中的"dge"、"church"中的"ch"、"ship"中的"sh"。这两组音也相似，但仍然不同。出现这样的问题时，应提醒学习者：汉语中的j、q、x是舌面音，发音时舌面前部与硬腭形成阻碍（舌叶音是舌叶与硬腭前部形成阻碍），同时嘴唇咧开，唇形类似呲牙（舌叶音则是嘴唇略微翘起）。

2 复韵母

ia［iA］后响复韵母。

> （发音时，先发一个很短的i，然后紧接着发一个舌位居中的低元音［A］，i要念得短而轻，a要念得长而响。）

ian［iɛn］舌尖鼻韵母。

　　（发音时，开头的 i 和结尾的 n 舌位都比较高，产生协调作用，所以 a 的舌位也相应地提高了一些，一般用［ɛ］表示。如 yan，实际发音念成［iɛn］。）

iang［iaŋ］舌根鼻韵母。

　　（iang 的发音方法跟复韵母 ian 相似。只是 ian 是前鼻音，iang 是后鼻音。）

uei［uei］中响复韵母。

　　（发音时，开头的 u 和结尾的 i 要念得短而轻，e 要念得清晰响亮。）

uen［uən］舌尖鼻韵母。

　　（发 uen 时，先发 u，紧接着念 en，在［u-］和［-n］之间有一个轻微的过渡音［ə，en］应念得长而响。）

üe［yɛ］后响复韵母。

　　（发 üe 时，先发 ü 然后滑向单韵母 ê，但 ê 比 ü 更长更响亮。üe 中的 e，应读作［ɛ］，不能读作［ɣ］。）

üan［yɛn］舌尖鼻韵母。

　　（发 üan 时，先发一个又短又轻的 ü，然后迅速过渡到 an。an 要念得又长又响亮。）

3　拼写规则

（1）复韵母 uei［uei］跟声母相拼时，简写为 -ui，调号标在 i 上，如：guì。

（2）复韵母 uen 跟声母相拼时，简写为 -un，如：lùn。

（3）ü 跟声母 j、q、x 相拼时，要去掉 ü 上面的两点，如：xué。因为 j、q、x 从不跟 u 相拼。

　　ü 开头的复韵母自成音节时，都要在 ü 的前面加 y，然后去掉 ü 上面的两点。如：yǔyán、xuéyuàn.

4　三声变调小结（附在《综合练习册》中）

（1）第三声的字单独念或在词语的末尾时，读本调，如：

　　　hǎo　　qǐng　　gěi

　　　tú　　shū　　guǎn

（2）第三声+第三声 → 第二声+第三声，如：

　　　nǐ + hǎo → ní + hǎo

　　　wǒ + mǎi → wó + mǎi

（3）第三声+非三声 → 半三声+非三声，如：

Qǐng hē kāfēi.

Nǐ máng ma?

Qǐng jìn.

Nǐ ne?

Hǎo ma?

（4）三个三声字相连，在没有停顿的情况下，前两个三声读第二声，如：

zhǎnlǎnguǎn → zhánlánguǎn

Wǒ hěn hǎo. → Wó hén hǎo.

五、《综合练习册》中部分练习答案和听力文本

听说 练习 Listening and Speaking Exercises

1

1 q 2 x 3 j 4 ian 5 uen

6 üe 7 jian 8 xuan 9 chui 10 qiang

2

1 jiá 2 qiān 3 xiǎng 4 juè 5 xuǎn

6 qié 7 shuǐ 8 chūn 9 zhòng 10 rén

3

1 xiǎo 2 shéi 3 jiàn 4 qī 5 xíng

6 guìxìng 7 yǔyán 8 rènshi 9 jiào Lín Nà 10 xuéxí Hànyǔ

4

1 B，C 2 A，C 3 D 4 B，D 5 C

6

1 C 2 A．(F) B．(T) C．(F)

听力文本

（敲门声）

林　娜：杨老师！

杨老师：请进。啊，林娜。这是谁？

林　娜：杨老师，您好，这是我的朋友，他是记者。

杨老师：你好！你贵姓？

陆雨平：您好，杨老师。我姓陆，叫陆雨平。认识您很高兴。

杨老师：认识你，我也很高兴。

7

【听力文本】

记者　　进来　　请问　　贵姓　　高兴　　可以

8

【听力文本】

汉语　　认识　　姓　　朋友　　您　　语言

9

【听力文本】

林　娜：你是加拿大人吗？

马大为：我不是加拿大人，我是美国人。你贵姓？

林　娜：我姓林，叫林娜。

马大为：认识你很高兴。

林　娜：认识你，我也很高兴。

　　　　　（敲门声）

林　娜：请进。啊，雨平，你好！大为，这是我的朋友，他是记者。

马大为：你好，认识你很高兴。

陆雨平：认识你，我也很高兴。

餐厅在哪儿

一、教学目的

1 语音

三个声母（z　c　s）；

两个单韵母（-i [ɿ]　er）；

五个复韵母（iong　ua　uan　uang　ün）。

2 在练好语音和声调的基础上，能准确地读出并流利地运用课文中的会话，尤其是核心功能句式。初步学会运用"找人"、"告别"、"问地点"、"道谢"这四个功能项目。

3 掌握汉字

掌握汉字的复合笔画（一）；

会认、会写十个基本汉字：二、儿、子、井、文、见、且、四、我、青；

会认、会写课文中已出现的汉字：在、坐、请问、这、进、再见、学生、好、小姐、不用。

二、教学步骤建议

基本同第一、二课，略。

三、内容说明

1. 本课重点学习的声母 z、c、s 是一组难音，掌握韵母 er 和儿化韵也有一定的难度。

2. 本课的声调组合再次出现第一声及第二声分别与四个声调及轻声的组合练习。

3. 拼写规则主要在运用中逐步掌握，不必采用强记的方法。本课小结一下，目的是让学生在出现错误时可以随时查对。

4. 本课的重点句式是动词谓语句。汉语"主—动—宾"的句式与英语相同，学生不难掌握。动词谓语句将在下一课总结，老师在讲本课时也可适当提一下。

课文中"他不在"省略了宾语"家"。"在"当谓语动词时，可以不带宾语，如："宋华在吗？"

"在二层二〇四号"省略了主语"餐厅"。

"我来晚了"，这里的"了"是语气助词，先不作语法分析。

5. 本课功能项目很多，也都很重要，但并不难掌握。道谢、告别等应能熟练运用；"找人"与"问地点"用的都是同一句式"……在+宾语"。

双音节连读和多音节连读中，一组是地点词语，可以在练习"问地点"时适当进行替换；另一组是国名，可用来复习"问国籍"这一功能项目。

6. 本课的情景可理解为马大为有事去找王小云，王小云不在宿舍，她和宋华一起在餐厅等马大为，而马大为找餐厅耽误了时间，来晚了。

 四、本课语音知识

1 声母

z〔ts〕　舌尖前不送气清塞擦音，像英语"beds"中的"ds"。

c〔ts'〕舌尖前送气清塞擦音，像英语"cats"中的"ts"，但送气。

s〔s〕　舌尖前清擦音，像英语"see"中的"s"。

（声母 z、c、s 都是舌尖前音。z〔ts〕和 c〔ts'〕是清塞擦音。发 z、c 时，舌尖平伸，抵住上齿背，让气流从口腔中所留的空隙间摩擦而出，声带不振动。z 和 c 的不同之处: z 是不送气音，c 是送气音。发 s 时，舌尖平伸，接近上齿背，让气流摩擦而出，声带不振动。）

2 韵母

单韵母：

-i〔ɿ〕　只跟声母 z、c、s 相拼，用字母 i 表示，但不能读成〔i〕。汉语普通话中，单韵母〔i〕不会出现在 z、c、s 的后面。

er〔ər〕卷舌央元音，像英语"sister"中的"er"（美国发音）。er 只能自成音节，不能跟声母相拼，如"ér（儿）"、"èr（二）"。

（发音时，把舌尖向硬腭翘起，就形成了卷舌元音。）

复韵母：

iong〔yŋ〕　舌根鼻韵母。

（发音时，先发 ü，然后舌根抬起，抵住软腭，气流从鼻腔通过，就会发出 iong。）

ua〔uA〕　后响复韵母。

（发 ua 时，先发 u，然后滑向 a，a〔A〕的舌位与单韵母 a 基本相同。u 要发得又短又轻，a 要发得又长又响亮。）

uan〔uan〕　舌尖鼻韵母。

（发音时，先发一个短而轻的 u，很快滑向 an，an 要念得长而响。）

uang〔uaŋ〕　舌根鼻韵母。

（发音时，先发一个短而轻的 u，很快滑向 ang，ang 要念得长而响。）

ün〔yn〕　舌尖鼻韵母。

（发 ün 时，先发 ü，然后把舌尖抬起，抵住上齿龈，同时下垂软腭，让气流从鼻腔通过。）

3 **儿化韵**

当 "er" 不自成音节，而和前面的音节融合在一起时，使得前一音节的韵母儿化，这就是儿化韵。书写时，在原音节后加 r，汉字后加 "儿"，如 "nǎr（哪儿）"。

4 **拼写规则小结（附在《综合练习册》中）**

（1）i 和 y

以 i 开头的韵母，i 后有别的元音而又自成音节时，应将 i 改为 y。

ia → ya　　　ie → ye　　　ian → yan　　　iang → yang

iao → yao　　iou → you　　iong → yong

以 i 开头的韵母，i 后没有别的元音而自成音节时，应在 i 前加 y。

i → yi　　　in → yin　　　ing → ying

（2）u 和 w

以 u 开头的韵母，u 后有别的元音而自成音节时，应把 u 改为 w。

ua → wa　　uan → wan

uo → wo　　uen → wen

uai → wai　　uang → wang

uei → wei　　ueng → weng

u 自成音节时，应在 u 前加 w。

　　u → wu

（3）ü 和 y

ü 和以 ü 开头的韵母自成音节时，应在 ü 的前面加 y，同时要把 ü 上的两点去掉。

　　ü → yu　　　üe → yue　　　üan → yuan　　　ün → yun

ü 的前面是声母 n 和 l 时，ü 上的两点不能省略。如"nǚ（女）、lǜ（绿）"。

（4）iou、uei、uen 前面有声母时，应省略成 -iu、-ui、-un。如"píjiǔ（啤酒）、guìxìng（贵姓）、tǎolùn（讨论）"。

（5）调号的标法

调号标在主要元音上面，一般按 a、o、e、i、u、ü 的先后顺序来标。如：

　　Wáng xiānsheng hěn hǎo.

　　Wǒmen dōu hěn máng.

　　Nín shì Zhōngguó xuésheng ma?

iou 和 uei 与声母相拼时简写为 -iu 和 -ui，在这种情况下，两个韵母的调号都标在后面的元音上，如："liù（六）"、"guìxìng（贵姓）"。

（6）隔音符号

以 a、o、e 开头的音节连接在其他音节后面时，在 a、o、e 前用隔音符号"'"跟前面的音节隔开。如："Tiān'ān Mén（天安门）、Xī'ōu（西欧）"。

五、《综合练习册》中部分练习答案和听力文本

● 听说 练习 Listening and Speaking Exercises

1

| ① c | ② s | ③ z | ④ er | ⑤ uang |
| ⑥ ün | ⑦ zi | ⑧ shuan | ⑨ cai | ⑩ zhuang |

2

| ① sān | ② cí | ③ zuàn | ④ ěr | ⑤ xiōng |
| ⑥ guà | ⑦ kuáng | ⑧ jǔn | ⑨ céng | ⑩ zài |

3

① qīng ② zǐ ③ èr ④ sì ⑤ zuò

⑥ qǐng jìn ⑦ zàijiàn ⑧ xiǎojiě ⑨ cāntīng ⑩ Wáng Xiǎoyún

4

① C ② B

6

① B ② A.(F) B.(F) C.(F)

听力文本

A：请问，王小云的宿舍在哪儿？

B：在二层二〇四。

A：谢谢。王小云在宿舍吗？

B：她不在。

A：她在哪儿？

B：对不起，我不知道。

7

听力文本

宿舍　餐厅　知道　对不起　再见　谢谢

8

听力文本

在　坐　哪儿　不用　再见　小姐

9

听力文本

林　娜：大为，餐厅在哪儿？

马大为：餐厅在四层。

林　娜：谢谢。

马大为：不用谢。杨老师在哪儿？

林　娜：对不起，我不知道。

马大为：没关系。

林　娜：再见。

我们去游泳，好吗

（复习）

一、教学目的

1 复习语音

　　本课没有出现新的声母、韵母，而是对已学过的声母、韵母和声调进行综合性复习和小结。现代汉语普通话中共21个声母，10个单韵母，28个复韵母。

2 在练好语音和声调的基础上，能准确地读出并流利地运用课文中的会话，尤其是核心功能句式。初步学会运用"评论"、"建议"、"请求重复"、"婉拒"这四个功能项目。

3 掌握汉字

　　（1）掌握汉字复合笔画（二）和笔画组合；

　　（2）会认、会写十个基本汉字：九、厶、寸、工、亡、三、气、立、身、兑；

　　（3）会认、会写课文中已出现的汉字：去、有意思、天气、太、什么、时候、现在、明天、时间、说、忙、谢谢。

二、教学步骤建议

　　基本同第一、二课，略。

三、内容说明

　　1. 本课归纳了动词谓语句。重点在于主语、谓语动词、宾语的位置，特别是状语的位置。第七课以后还要进行专门的操练。

动词谓语句由"不"表示否定，只是其中的一种，还有很多是用"没（有）"来否定的，以后将要学到。

2．本课在《综合练习册》中对已经学过的形容词谓语句、是字句、动词谓语句等三种句式的陈述、否定、用"吗"的问句及用疑问代词的问句四种形式进行了初步的小结。这些句式从第七课开始还要系统学习。

3．本课出现了连动句"我们去游泳"（第十一课讲）、动量补语"请再说一遍"（第二十二课讲），这些句子都只要求弄懂意思，不要进行语法分析、讲解。"什么时候去？"、"明天去。"是省略主语的句子，学习者应能把主语补上。

4．本课出现了较多的功能项目。"建议"一项可结合本课多音节连读进行适当替换；"请求重复"、"婉拒"只要会说课文中的有关句子就行，"评论"一项也不可能大量替换。

四、本课语音知识

1 "一"的变调

"一"的本调是第一声。但"一"在第一声、第二声、第三声的前面，就变成第四声；在第四声前面变为第二声。

$$yī + \begin{cases} - \\ ✓ \\ ∨ \end{cases} → yì + \begin{cases} - \quad \text{example：} \quad yì\ bēi\ \text{(one cup)} \\ ✓ \qquad\qquad\quad yì\ píng\ \text{(one bottle)} \\ ∨ \qquad\qquad\quad yì\ běn\ \text{(one copy)} \end{cases}$$

$$yī + \quad ` \quad → yí + \quad ` \quad \text{example：} \quad yí\ biàn\ \text{(once)}$$

2 声母小结（供教师参考）

（1）汉语普通话里有21个声母，按发音部位可以分为六组（见第30页声母表）。其中只有r，m，n，l是浊音，其他都是清音，发音时声带不振动。

（2）在这21个声母中，有六对相对应的送气音和不送气音。送气与不送气有区别意义的作用，发音时必须严格注意。

① b——p 　② d——t 　③ g——k

④ z——c 　⑤ zh——ch 　⑥ j——q

声母表

唇音	b [p]	p [pʻ]	m [m]	f [f]
舌尖中音	d [t]	t [tʻ]	n [n]	l [l]
舌尖前音	z [ts]	c [tsʻ]	s [s]	
舌尖后音	zh [tʂ]	ch [tʂʻ]	sh [ʂ]	r [ʐ]
舌面音	j [tɕ]	q [tɕʻ]	x [ɕ]	
舌根音	g [k]	k [kʻ]	h [x]	

3 韵母小结（供教师参考）

（1）汉语普通话里有38个韵母，按韵母开头的元音发音口形可以分为四组（见下表）。

（2）字母 i 代表三种不同的发音：i [i] 如 yī，-i [ɿ] 如 zhī，-i [ʅ] 如 sī。

（3）字母 e 代表三种不同的发音：e [ɤ] 如 è，e [ɛ] 如 yě，e [e] 如 mèi。

（4）ueng 只能自成音节，代表的汉字很少，我们尚未学到。

韵 母 表

开口呼	齐齿呼	合口呼	撮口呼
-i [ɿ] [ʅ]	i [i]	u [u]	ü [y]
a [A]	ia [iA]	ua [uA]	
o [o]		uo [uo]	
e [ɤ]	ie [iɛ]		üe [yɛ]
er [ər]			
ai [ai]		uai [uai]	
ei [ei]		uei [uei]	
ao [au]	iao [iau]		
ou [ou]	iou [iou]		
an [an]	ian [iɛn]	uan [uan]	üan [yɛn]
en [ən]	in [in]	uen [uən]	ün [yn]
ang [aŋ]	iang [iaŋ]	uang [uaŋ]	
eng [əŋ]	ing [iŋ]		
		ueng [uəŋ]	
		ong [uŋ]	iong [yŋ]

4 普通话声韵母拼合总表

　　汉语普通话里有意义的音节共有四百多个，如果加上四声，可构成一千二百多个音节。一至六课我们学过的音节都列在下页的表里。

五、《综合练习册》中部分练习答案和听力文本

听说 练习 Listening and Speaking Exercises

1

① t ② zh ③ s ④ q ⑤ ian
⑥ ong ⑦ bei ⑧ xiao ⑨ sheng ⑩ po
⑪ jing ⑫ duo

2

① cùn ② sī ③ jiǔ ④ gòng ⑤ yú
⑥ qǐng ⑦ pǎo ⑧ xióng ⑨ dōu ⑩ zuò

3

① duì ② jiū ③ xí ④ lǎo ⑤ pèng
⑥ xiànzài ⑦ shíjiān ⑧ tài máng ⑨ yǒu yìsi ⑩ míngtiān qù

4

① B，C ② B，D

7

① B B ② A. (T) B. (F) C. (F) D. (T)

听力文本

马大为：宋华，我去游泳，你去吗？

宋　华：你什么时候去？

马大为：我现在去。

宋　华：很抱歉，我现在很忙，恐怕不行。

马大为：我们明天去，好吗？

宋　华：可以，我们明天去。

马大为：明天天气怎么样？

宋　华：明天天气很好。

马大为：太好了。再见。

宋　华：再见，大为。

8

听力文本

京剧　　有意思　　游泳　　现在　　时候　　抱歉

9

听力文本

时间　　明天　　去　　什么　　忙　　说

10

听力文本

林　娜：我们什么时候去打球？

王小云：今天你有时间吗？

林　娜：有。我们今天打球，明天去游泳，怎么样？

王小云：很抱歉，明天我很忙，恐怕不行。

林　娜：没关系。

一～六课语音阶段单元测试（笔试）
Unit Test for Lesson 1 to 6: the Section of Phonetics
(Written Exam)

班级 Class：＿＿＿＿＿＿＿＿＿＿＿＿

姓名 Name：＿＿＿＿＿＿＿＿＿＿＿＿

成绩 Score：＿＿＿＿＿＿＿＿＿＿＿＿

测试
1
1～4

一 语音部分（71.5%）
Phonetics

1 请把你听到的声母填到横线上。
Please fill in the blanks with appropriate initials.

（共42处，每处0.5分，共计21分）

____à	____ū	____è
____ī	____iǎng	____ú
____ēi	____uō	____ǎo
____āng	____uài	____ǐ
____ǎo	____ěn	____àn
____iù	____āo	____uò
____ì	____éng	____īn
____iú	____ōng	____ùn

____án ____uá   ____ǒu ____óu____án

____ì ____iàng____àn   ____ǎo ____ián____én

____ìn ____íng ____ǎi____é   ____í ____ōng ____ēng ____ì

2 请把你听到的韵母及声调填到横线上。
Please fill in the blanks with appropriate finals and tones.

（共47处，每处0.5分，共计23.5分）

t_____	z_____	f_____
d_____	b_____	k_____
j_____	n_____	s_____
c_____	p_____	ch_____

sh _____   r _____   m _____

l _____   f _____   _____

m _____   x _____   s _____

p _____   g _____   q _____

h _____   zh _____   l _____

n _____   j _____   sh _____

ch _____   l _____   x _____

q _____   x _____   n _____

j _____   D _____ d _____ H _____

g _____ g _____ y _____   h _____ y _____ g _____ l _____

3 请把你听到的声调标在拼音字母上。

Please listen to the CD and write correct tone marks.

（共36处，每处0.5分，共计18分）

ci   yu   xing   hua

geng   shou   jiu   tao

zisi   meiyou   tianqi

gaosu   jianyan   erduo

liang shi yi you   suan tian ku la

Tang tang tang tang, shi ren fapang.

4 请把你听到的拼音填到横线上。

Please fill in the blanks with correct *pinyin*.

（共6句，每句1分，共计6分）

（1）_____ _____ le, _____ _____ le.

（2）_____ bú shì _____.

（3）Huáng _____ hé _____ _____ dōu shì

_____ _____ de _____.

（4）_____ _____ _____ _____ _____.

（5）_____ _____ _____, _____ _____ _____.

（6）_____ _____ _____, _____ _____, _____

_____ _____, _____ _____.

5 请标出下列拼音变化后的声调。

Please mark the tone changes in the *pinyin*.

（共6处，每处0.5分，共计3分）

For example：yī ge → yí ge

yǔsǎn   →   yusan   yīdiǎnr   →   yidianr

yīyàng   →   yiyang   bùdàn   →   budan

jiǎngjiě →   jiangjie   bùguò   →   buguo

二   口语会话部分（12%）

Conversations

（共 6 段会话，每段 2 分，共计 12 分）

请完成下列会话。

Please complete the following dialogues.

1 【问候别人 Greetings 】

A：Nǐ hǎo ma?

B：_____. _____ ?

A：Wǒ yě hěn hǎo.

2 【问需要 Asking what someone wants 】

A：Nǐ yào _____ ma?

B：_____.

A：Nǐ ne?

C：_____.

3 【问国籍 Asking someone's nationality 】

A：Nín shì Yīngguó rén ma?

B：Bú shì, _____. Nín shì nǎ guó rén?

A：_____.

4 【问姓名 Asking someone's name 】

A：Nín guìxìng?

B：Wǒ xìng _____, jiào _____.

A：Wǒ jiào _____. _____ wǒ hěn gāoxìng.

B：_____.

5 【问地点 Asking for directions】

A：Qǐngwèn，cèsuǒ zài nǎr？

B：_____.

A：Xièxie.

B：_____.

6 【建议 Making suggestions】

A：_____, hǎo ma?

B：Tài hǎo le! _____?

A：_____, kěyǐ ma?

B：_____.

三 汉字部分（16.5%）

Chinese Characters

1 请在右栏找出左栏拼音所代表汉字的意义，在括号中填上相应的英文字母。

In the right column, please find the meanings represented by the *pinyin* in the left column, and write the corresponding letters in the parentheses.

（共12个，每个0.5分，共计6分。）

For example:（1）yī ——（a）　　　　a. one

　　　　　　（2）èr ——（b）　　　　b. two

拼音　　　　　　　　　　　意义

Pinyin　　　　　　　　　Meanings

（1）mǎ ——（　　）　　　a. middle

（2）yòu ——（　　）　　　b. water

（3）shí ——（　　）　　　c. horse

（4）yào ——（　　）　　　d. eight

（5）sì ——（　　）　　　e. mom

（6）guó ——（　　）　　　f. country

（7）bā —— （　　） g. again

（8）jìn —— （　　） h. ten

（9）zhōng —— （　　） i. four

（10）dà —— （　　） j. big

（11）shuǐ —— （　　） k. to enter, to come in

（12）mā —— （　　） l. want

2 请在右栏找出左栏汉字的意义，在括号中填上相应的英文字母。

In the right column, please find the meanings represented by the Chinese characters in the left column, and write the corresponding letters in the parentheses.

（共11个，每个0.5分，共计5.5分。）

For example：（1）一 —— （b）　　a. two

（2）二 —— （a）　　b. one

汉字　　　　　　　　意义

Chinese characters　　Meanings

（1）火 —— （　　） a. door

（2）山 —— （　　） b. knife

（3）月 —— （　　） c. he

（4）请 —— （　　） d. fire

（5）门 —— （　　） e. to see

（6）五 —— （　　） f. mountain

（7）刀 —— （　　） g. moon

（8）见 —— （　　） h. mouth

（9）口 —— （　　） i. please

（10）他 —— （　　） j. *a modal particle*

（11）呢 —— （　　） k. five

测试 2

3 **听写汉字。**

Dictation: Please write down Chinese characters you hear.

（共10个，每个0.5分，共计5分。）

（1）_____   （2）_____   （3）_____

（4）_____   （5）_____   （6）_____

（7）_____   （8）_____   （9）_____

（10）_____

一～六课语音阶段单元测试（笔试）
（教师参考答案）

一

1

bà（爸）　　　shū（书）　　　gè（个）

chī（吃）　　　xiǎng（想）　　rú（如）

hēi（黑）　　　duō（多）　　　pǎo（跑）

tāng（汤）　　　kuài（快）　　　bǐ（比）

sǎo（扫）　　　fěn（粉）　　　kàn（看）

jiù（就）　　　māo（猫）　　　cuò（错）

zì（字）　　　néng（能）　　　qīn（亲）

liú（流）　　　zhōng（中）　　kùn（困）

fánhuá（繁华）　　　　　　kǒutóuchán（口头禅）

qìxiàngzhàn（气象站）　　　lǎoniánrén（老年人）

jìnxíng gǎigé（进行改革）　　jí zhōng shēng zhì（急中生智）

2

tái（台）　　　zǐ（子）　　　fó（佛）

děng（等）　　　bì（必）　　　kěn（肯）

jiā（家）　　　niǎo（鸟）　　　sòng（送）

cáng（藏）　　　pā（趴）　　　chē（车）

shì（是）　　　rán（然）　　　mǒu（某）

lǎo（老）　　　fēi（飞）　　　ér（儿）

miàn（面）　　　xié（鞋）　　　suǒ（所）

píng（瓶）　　　gǔ（古）　　　qiū（秋）

huā（花）　　　zhuī（追）　　　liáng（凉）

nuǎn（暖）　　　jìn（进）　　　shuài（帅）

chuáng（床）　　lún（轮）　　　xióng（雄）

que（却）　　　　xuān（宣）　　　nǚ（女）

jūn（军）　　　　　　　　　Dàdù Hé（大渡河）

guāguǒyuán（瓜果园）　　　huānyíng guānglín（欢迎光临）

3

cí（词）　　　yǔ（雨）　　　xīng（星）　　　huà（画）

gèng（更）　　shōu（收）　　jiǔ（酒）　　　táo（桃）

zìsī（自私）　méiyǒu（没有）　tiānqì（天气）

gàosu（告诉）　jiǎnyàn（检验）　ěrduo（耳朵）

liáng shī yì yǒu（良师益友）　　　suān tián kǔ là（酸甜苦辣）

Tāng táng tǎng tàng, shǐ rén fāpàng.（汤糖躺烫，使人发胖。）

4

（1）Dùzi bǎo le, tùzi pǎo le.（肚子饱了，兔子跑了。）

（2）Nǚkè bú shì lǚkè.（女客不是旅客。）

（3）Huáng fènghuáng hé huā fènghuáng dōu shì Fāngfāng huà de fènghuáng.（黄凤凰和花凤凰都是方方画的凤凰。）

（4）Jiǔ féng zhījǐ qiān bēi shǎo.（酒逢知己千杯少。）

（5）Zhòng guā dé guā, zhòng dòu dé dòu.（种瓜得瓜，种豆得豆。）

（6）Sì shì sì, shí shì shí, sì bú shì shí, shí bú shì sì.（四是四，十是十，四不是十，十不是四。）

5

yúsǎn（雨伞）　　　　　yìdiǎnr（一点儿）

yíyàng（一样）　　　　　búdàn（不但）

jiángjiě（讲解）　　　　búguò（不过）

二　（回答这部分题有一定的灵活性，故略去参考答案。）

三

1

（1）c　　（2）g　　（3）h　　（4）l　　（5）i　　（6）f
（7）d　　（8）k　　（9）a　　（10）j　　（11）b　　（12）e

2

（1）d　　（2）f　　（3）g　　（4）i　　（5）a　　（6）k
（7）b　　（8）e　　（9）h　　（10）c　　（11）j

3

（1）也　　（2）人　　（3）天　　（4）你　　（5）好　　（6）不
（7）小　　（8）九　　（9）学　　（10）叫

一～六课语音阶段单元测试（口试）
Unit Test for Lesson 1 to 6: the Section of Phonetics
(Oral Exam)

　　教师在以下内容中选取10个问题向学生提问（口语测试应每个学生依次进行，并对测试情况进行录音，以便整理和分析），根据学生口头回答的语言表现给出综合评定，包括语音表现与词汇和语法的准确性，具体比例如下：语音表现50%，词汇的准确性25%，语法的准确性25%，满分为100分。此单元测试也可由学生使用这些问题互相测试。

问题　Questions

1. 你好吗?

2. 你爸爸/妈妈/哥哥/弟弟/妹妹好吗?

3. 你忙吗?

4. 你爸爸/妈妈/朋友忙吗?

5. 你要咖啡/水吗?

6. 你是哪国人?

7. 你是老师/医生/学生/记者吗?

8. 你叫什么?

9. 你学习什么?

10. 餐厅/***（某某同学的名字）在哪儿?

11. 我们去游泳/打球/餐厅，好吗?

12. 今天天气/昨天的京剧怎么样?

第七课
Lesson
7

你认识不认识他

 一、教学目的

1 掌握本课重点句型和重点词语的用法

（1）表领属关系的定语

（2）正反疑问句

（3）用"呢"构成的省略式问句

（4）副词"也"和"都"的位置

（5）动词 + "一下"

（6）名词直接作定语

2 掌握本课的"初次见面"和"谈专业"这两个功能项目，能初步就初次见面的话题进行交际。

3 掌握汉字

（1）会认、会写基本汉字：开、目、下、元、片、皮、弓、长、来、介、父、巴、习、专、业、羊、术、系、为；

（2）会写部件：彳、艮、亠、灬、天、阝、子、攵、宀、宀、隹、纟、宀、羊；

（3）会认、会写课文中已出现的汉字：很、高兴、看、（学）院、名片、啊、教授、（丁）（力）波、张、谁、介绍、（名）字、爸爸、美、加拿大。

从本课开始，所有生词（除补充生词以外）都要求能认、能写。

4 了解有关词重音的规律，正确掌握朗读和会话中的词重音。

二、教学步骤建议

1　复习检查

对前一课生词、句型、功能的掌握情况进行复习检查，发现不足之处并加以纠正；同时要进一步提高对旧课掌握的要求，如要求能较熟练地进行相互问答、复述，甚至听述、自述直至交际运用。

要把对旧课的复习引向对新课的准备，做到温故知新，以旧带新。

本课紧接在单元复习课之后，因为前一课已进行单元测验，本课可用一部分时间对考试作讲评。讲评内容：肯定成绩，归纳带普遍性的问题，进行讲练。

2　新课的准备——词语教学

在上一课已布置预习本课生词的基础上，通过范读、领读、轮读、抽读等方式使学习者进一步正确掌握生词。要注意对组成生词的语素（汉字）的意义进行说明，帮助学习者记忆生词并能举一反三。在此基础上进行连词组并逐步扩展词组的练习，加深对词语用法的理解、记忆，并为学习句子打好基础。

处理完生词以后，新课课文内容可以由老师朗读或放录音1～2遍，目的是让学习者了解本课所提供的情境和表达的话题及功能,引起学习者的学习兴趣,并了解课文全貌。

3　重点句型和词语的教学

首先将新句式和重点词语逐个引入。引入可采用以旧带新的方法（如从已学过的"您贵姓？"引向"您叫什么名字？"）、设置语境的方法（如老师指着自己问："我是你们的老师吗？"然后再指一个学生问："他是我们学院的老师吗？"引向"他是不是我们学院的老师？"）、对比的方法（如"坐一下"和"坐"，"不都是"和"都不是"）等，注意在引入新句型时最好避免用本课新学的生词，以利于学习者更好地理解句子的意思。

向学习者展示新的句型或词语的用法以后，就按"练习与运用"中所提供的材料，从机械性练习开始（读词组、句型替换）进展到看图造句、会话练习,直到活用的练习——交际练习。

本步骤的最后，教师可画龙点睛地将以上所介绍和练习的句型和词语、语法点归纳一下，也可以强调一下用这些句型和词语时要注意的事项。

4　讲练课文

教师借助实物、图片及重点句型和重点词语的板书,叙述课文的内容,让学习者听懂。然后就主要内容提问，让学习者回答（突出重点句型和词语）。下一步教师领着说，直到学习者能通过一问一答的形式自己进行课文的对话。最后教师带学生朗读课文，提高熟练程度。在带读过程中，结合本课的语音教学，对学习者进行提示。

上述过程也可以倒过来，先带学习者朗读课文，然后再逐段说课文。

5 汉字教学

本课基本汉字和非成字部件较多，汉字教学要适当多安排一点时间，也可以分几天学。仍采取先教基本汉字、后组合成课文中已出现词汇的办法，要求掌握课文中已出现的汉字。考虑到学习者经过前六课的学习已有一定的汉字基础，本课不一定需要把每个汉字都讲一遍，而是重点教难写的汉字。

6 语音教学

按本书"五、语音教学"部分所介绍的内容，可以安排专门的教学时间，也可以结合课文的朗读加以提示。

7 布置作业

按《综合练习册》的内容布置本课口头或笔头巩固性练习。如果是本课教学的最后一节，则要布置预习新课的生词，并要带读新课生词。

三、内容说明

1. 从本课开始，学习重点由语音转到语法，课文也由以拼音为主转向以汉字为主。为了使新阶段开始不致产生太大的难度，本课课文中重现了很多前六课已出过的句型、功能。本课的语言点除了正反疑问句、"动词 + 一下"以外，其他如用"呢"构成的省略式问句、副词"也"和"都"的位置、表领属关系的定语和名词直接作定语等，都不是新的，而是在前六课都已出现过的，本课对这些语言结构的规则正式进行归纳、总结和操练。本课的话题和功能，除了"谈专业"以外，也大多是重现并加深前六课已出现的打招呼、问候、问国籍、问姓名、介绍、指认人、告别等。

2. 本课生词共二十六个，其中前六课出现过、只是未要求认写汉字的"复读词"有六个。

本课的汉字教学量是全册书中最大的。从下一课开始，基本汉字和非成字部件数急剧下降，而组成词汇的合体字每课将稍稍增加。

课文中出现的每个生词，**必须要求掌握汉字**；在基本汉字和非成字部件较多的情况下，基本汉字的音义不一定全部要求在当课掌握，非成字部件的名称也无需要求学习者记住。

四、《课本》注释与语法

1 表领属关系的定语

　　汉语中定语一定要放在它所修饰的词语的前边。代词、名词或名词词组作定语表示领属关系时，后面要加结构助词"的"。例如：

Pr/NP	+	的	+	N
我		的		名片
哥哥		的		咖啡
语言学院		的		老师

　　人称代词作定语，如果被修饰的词语是表示亲友称谓或所属单位的名词，定语和被修饰语之间的"的"可以省略。如"我妈妈"、"你爸爸"、"他们家"、"我们学院"等。

2 正反疑问句

　　将句子谓语中的主要成分（动词或形容词）的肯定形式和否定形式并列，也可以构成一种疑问句。

$$V/A + 不 V/A + O$$

Subject	Predicate		
	V / A	不 V / A	O
你	认识	不　认识	他？
你们	忙	不　　　忙？	
力波	是	不　是	中国人？

　　回答时，可以重复整个句子（肯定或否定），也可以省去主语或宾语。"是"字句还可以在句子前边加上"是"（肯定回答）或"不是"（否定回答）。例如：

（1）（我）认识（他）。　　　　（我）不认识（他）。

（2）（我们）忙。　　　　　　　（我们）不忙。

（3）（力波）是中国人。　　　　（力波）不是中国人。

　　　　是，力波是中国人。　　　不是，力波不是中国人。

3 用"呢"构成的省略式问句

代词或名词后面直接加上"呢",构成省略式问句。所问的内容必须在上文中已有清楚的表示。例如:

Pr/NP + 呢?

我很好,你呢?	(你呢?	= 你好吗?)
你不忙,你男朋友呢?	(你男朋友呢?	= 你男朋友忙吗?)
你是加拿大人,他呢?	(他呢?	= 他是加拿大人吗?)
林娜学习汉语,马大为呢?	(马大为呢?	= 马大为学习汉语吗?)

4 副词"也"和"都"的位置

副词"也"和"都"必须放在主语之后、谓语动词或形容词之前。如"林娜也是加拿大人"、"他们都是加拿大人",不能说成"也林娜是加拿大人"、"都他们是加拿大人"。

"也"和"都"在句中同时修饰谓语时,"也"必须放在"都"的前边。

也 / 都 + V/A

Subject	Predicate	
	Adv	V / A
丁力波		是 加拿大人。
丁力波		认识 他。
丁力波	很	忙。
她	也	是 加拿大人。
她	也	认识 他。
她	也很	忙。
他们	都	是 加拿大人。
他们	都	认识 他。
他们	都很	忙。
我们	也都	是 加拿大人。
我们	也都	认识 他。
我们	也都很	忙。

在否定句中，"也"必须放在"不"的前边。"都"可以放在"不"的前边或后边，但意思不一样。

也 / 都 + 不 + V/A

Subject	Predicate	
	Adv	V / A
她	不	是 老师。
你	也不	是 老师。
我们	都不	是 老师。（none of us）
我们	不都	是 老师。（not all of us）

5 动词 + "一下"

"一下"用在动词后边，常常表示动作经历的时间短，或者表示尝试的意思，可以使说话的语气显得比较缓和、随便。如："认识一下"、"介绍一下"、"去一下"、"进来一下"、"说一下"、"坐一下"等。

6 名词直接作定语

名词可以直接放在另一个名词之前作定语。如"中文名字"、"汉语老师"、"中国人"。

五、语音教学

词的重音（一）

1.按照普通话的发音习惯，汉语的音节轻重大致可以分为"重音"、"中音"、"轻音"三类，这在一个多音节词中能够有比较地读出来。双音节词、三音节词、四音节词都清楚地有一个重音节（本书用符号"·"表示）。大多数双音节词末一个音节是重音，它前边的音节常常读中音。例如：

老师　　现在　　明天　　汉语　　学院
教授　　再见　　专业　　美术　　文化

小部分双音节词的重音节在前边，它后边的音节即使不是轻声（本身有调号），也要轻读。例如：

认识　　学生　　朋友　　名字　　什么（轻声）

学习　　介绍（轻读）

2. 语气助词"啊、吗、呢"等不能重读，永远读轻声。例如：

好啊！

您是我们学院的老师吗？

我学习美术专业，你呢？

六、教师参考语法知识

1 "一下"

"一下"可以儿化，读成"一下儿"。用在动词后面，有两个作用，一是表示动作短促，二是表示动作有尝试性。本课中的"我问一下"兼有这两个意思。看几个例子：

电话铃响了，我去一下。（表示短时）

电话铃响了，我去接一下。（表示短时）

请你等一下，我马上回来。（表示短时）

我看一下。（表示尝试）

2 定语

定语是一种修饰语，它通常修饰名词或名词性词语，被定语修饰的名词或名词性词语是"中心语"。汉语的定语和英语的定语有一个很大的不同，汉语的定语一定都在名词或名词性词语（中心语）前边，英语则不同，有的在中心语前边，有的在后边。

在汉语里，能够作定语的词有代词、名词、形容词、量词等，动词及动词词组也可以作名词或名词性词语的定语（这个我们以后再讲）。

从定语与中心语的语义关系看，定语可分为两类：一类是限制性定语，另一类是描写性定语。本课出现的定语都是限制性定语。所谓限制性定语，是指定语从时间、处所、归属、范围等方面说明中心语。

代词作定语时，定语和中心语之间有时带"的"，有时不带"的"，这又分几种情况：

（1）当代词是单数，且当中心语是表示亲属或朋友关系的名词或名词性词语时，中间可以不用"的"。如：

我爸爸　　我妈妈　　你哥哥　　他姐姐

（2）当代词是复数，且当中心语是表示亲属或朋友关系的名词或名词性词语时，中

间要用"的",亦即中心语对代词所指的人们来说,具有共同的关系(本课课文中尚未出现)。如:

　　　　我们的父亲　　　你们的妈妈　　　他们的朋友

　　(3)当中心语是表示国家、地区、组织、单位的名词或名词性词语时,代词往往用复数,表示人是属于国家或组织等的,后面可以不用"的";但如果代词是单数,后面要用"的"。如:

　　　　我们国家　　　　你们学校　　　　他们系
　　　　我的国家　　　　你的学校　　　　他的系

　　(4)如果要表示国家、地区、组织、单位是属于某些人时(意义和某些人属于组织等相对),代词和中心语之间要用"的"。如:

　　　　我们的国家　　　你们的学校　　　他们的系

　　用"的"和不用"的"表示的所属关系不同。

　　(5)当中心语是表示事物的普通名词或名词性词语时,代词和中心语之间要用"的"。如:

　　　　我的名片　　　　我的名字　　　　我们的宿舍
　　　　你的书包　　　　你们的报纸　　　他的咖啡

　　名词作定语也有带"的"和不带"的"两种情况:
　　(1)名词作定语表示中心语的性质(原料、质地、职业等)时,可以不用"的"。如:

　　　　加拿大人　　　中国人　　　　美术专业　　　　文化专业
　　　　语言学院　　　汉语系　　　　中文名字　　　　汉语教授

　　(2)在其他情况下,名词作定语要用"的"。如:

　　　　语言学院的学生　　　　　　语言学院的教授

本册《综合练习册》第十四课中将有定语与结构助词"的"的小结。

3　正反疑问句

　　这种疑问句是由谓语的肯定形式和否定形式并列而成的。回答的人从这两种情况中选择一种作为答话。提问的人实际对答话没有什么倾向性。当谓语不带宾语时,直接使用谓语的肯定否定并列形式就可以了。如:

　　　　你忙不忙?　　你们认识不认识?　　你高兴不高兴?

　　当谓语带有宾语时,宾语的位置有两种,一种是在整个谓语后面,第二种是在谓语的肯定形式和否定形式之间(第二种本课课文中尚未出现,以后将介绍)。如:

　　你是不是加拿大人？　　　　你是加拿大人不是？

　　你认识不认识他？　　　　　你认识他不认识？

　　你们学不学汉语？　　　　　你们学汉语不学？

　　回答正反疑问句时，可以用谓语的肯定形式或否定形式作简单的回答，也可以用完整的句子来回答。如：

　　　A：你是不是加拿大人？ / 你是加拿大人不是？

　　　B₁：是 / 不是。

　　　B₂：我是 / 不是加拿大人。

　　　B₃：是 / 对，我是加拿大人。

　　　A：你认识不认识他？ / 你认识他不认识？

　　　B₁：认识 / 不认识。

　　　B₂：我认识 / 不认识他。

4　用"呢"构成的省略式问句

　　名词、代词、名词词组后面加上"呢"，可以构成省略的疑问句。在回答了一个问题、说明了一种情况之后，顺着前边的话题，询问另一个人的同一种情况时，我们可以使用这种省略的疑问句。问句所问的事情，要根据上文来推断。使用这样的句子，语言显得精练、紧凑。如：

　　　A：你忙吗？

　　　B：我很忙，你呢？ （你忙吗？）

　　　A：我爸爸是加拿大人。

　　　B：你妈妈呢？ （你妈妈也是加拿大人吗？）

　　　我们都学习汉语，你们呢？

　　在没有上下文的情况下，"……呢"问的是某种东西在什么地方，相当于"……在哪儿？"。这种用法本课没有出现，以后将介绍。如：

　　　马大为呢？ = 马大为在哪儿？

　　　我的名片呢？ = 我的名片在什么地方？

5　副词"也"和"都"的位置

　　"也"和"都"是副词，副词的作用是修饰动词或形容词，作状语。英语的状语可以在动词前，也可以在动词后，甚至在句末；汉语的状语一律都在动词前，而且，有很多副词作状语时，一定要在主语后、谓语前，这是和英语很不相同的。"也"和"都"就是这种只能用在主语和谓语之间的副词。

"也"是表示相同情况的副词。上文说了一种情况或性质，下文要说某人或某物同样具有这个性质时，就可以用"也"。或者说，在已对某个或某些对象（人或物）作出一个陈述后，又要对一个或一些对象作相同的陈述时，我们就要用"也"。如：

> 他是加拿大人，我也是加拿大人。

> 你是语言学院的学生，我们也是语言学院的学生。

"都"是表示范围和总括的副词，当要说明某些人或物具有共同的性质时，我们用"都"来表示。或者说，"都"是把对象（人或物）先划进同一个范围里，再对这个由若干对象组成的整体作出陈述。因此，用"都"的时候，主语（陈述的对象）一定是复数，这是和"也"的区别。如：

> 我们都是加拿大人。

> 他们都是语言学院的学生。

从句子的结构看，"都"所总括的一般是它前边出现的人或事物，而不是它后面的成分。因此只能说"我们都认识他"，而不能说"都我们认识他"，也不能说"我都认识他们"，或者"我认识都他们"。

当既要说明一些人或物和前边的某个或某些人或物有共同性质，又要说明后面的这些对象在同一个范围里时，我们就要用"也都"。注意，"也"一定要放在"都"前边。如：

> 你是加拿大人，我们也都是加拿大人。

> 你认识他，我们也都认识他。

> 你是语言学院的学生，我们也都是语言学院的学生。

由于否定的范围不同，"都"有两种否定的形式。当对某范围内的全部对象作出否定时，"不"放在"都"的后面；当只否定某个范围内的一部分对象时，"不"放在"都"的前边。如：

> 他们都不是加拿大人。（没有一个是加拿大人）

> 他们不都是加拿大人。（其中有加拿大人，也有其他国家的人）

七、教师参考文化知识：人名的翻译

不同语言间人名的翻译。一般都用音译。把一种语言的人名翻译成另一种语言时，原则是发音越接近越好。汉语和英语都是音素较丰富的语言，相互对译时，容易做到"忠实于原音"。汉语人名译成英语时，有两种译法，一种是使用韦氏音标，这种方法海外现在还常用；另一种是直接使用汉语拼音字母，只是不标调号。汉语拼音是联合国认可的国际通行的译法。例如：

中文姓名	汉语拼音	韦氏音标
王小云	Wang Xiaoyun	Wang Siao-yun
宋 华	Song Hua	Song Hwa
丁力波	Ding Libo	Ting Lee-po
陆雨平	Lu Yuping	Lu Yu-phing

英美人的常见姓名翻译成汉语时，一般有通用（通行）的译法。如：

英美人的姓名	汉译
John	约翰
Robert	罗伯特
David	大卫、戴维
Smith	史密斯

英美人姓名译成汉语时，也可以有另一种做法，即虽仍是音译，但又要把名字翻译得像中国人的名字，换句话说，英美人名可以像中国人的姓名那样，有汉语的意义。如：

英美人的姓名	汉译
David March	马大为
Walter	王尔德
John Smith	史约翰

八、《综合练习册》中部分练习答案和听力文本

2

① A ② B ③ C ④ C ⑤ A ⑥ B

听力文本

① 你忙吗？

② 你认识马大为吗？

③ 谁是语言学院的学生？

④ 你学习汉语吗？

⑤ 他是教授吗？

⑥ 丁力波学习什么专业？

3

① F ② F

【听力文本】

A：你好吗？

B：我很好。你忙吗？

A：我不忙，你呢？

B：我很忙。

4

① 汉语　　② 介绍　　③ 美术　　④ 语言学院的

【听力文本】

① 我学习汉语。

② 我介绍一下。

③ 他学习美术专业。

④ 他是语言学院的老师。

5

【听力文本】

介绍　　是　　学生　　忙　　不　　我

6

【听力文本】

（在校园里）

林　娜：你好，大为！这是我的中国朋友——小云。

马大为：她也是我的中国朋友。

林　娜：你们认识？

马大为：我们认识。

王小云：你们都是我的好朋友。

你们家有几口人

一、教学目的

1 掌握本课重点句型和重点词语的用法

（1）11~100 的称数法

（2）数量词作定语

（3）"有"字句

（4）用"几"或"多少"提问

（5）连词"和"

（6）"两"和"二"

（7）"还"（1）：表示有所补充

（8）副词"太"

2 掌握本课的"谈家庭"和"问职业"这两个功能项目，能初步就"家庭"的话题进行交际。

3 掌握汉字

（1）会认、会写基本汉字：几、禾、个、两、未、犬、云、少、士、欠、夕、卜、百；

（2）会写部件：豕、灬、丶、丷、犭、勹、⺌、彐、殳、乍；

（3）会认、会写课文中已出现的汉字：家、照（片）、和、弟（弟）、还、（一）共、妹（妹）、狗、当然、真、（可）爱、没、男、做、（工）作、多（少）、喜欢、外（语）。

4 了解有关词重音的规律，正确掌握朗读和会话中的词重音。

二、教学步骤建议（略）

三、内容说明

1. 本课的重点句型是"有"字句表领有。这种"有"字句并不难。但需要指出：其否定式是用"没（有）"，而不是用"不有"；另外，与英语对比，当句子的主语是表示单位或处所的名词时，汉语仍用动词"有"。本课第一次出现量词。量词特别丰富是汉语的一大特点，对英语为母语的学习者来说也是一大难点，需要强调汉语数词与名词之间要加量词。数量词作定语是本课的重点。学习者在本课还应学会11~100的称数法。其余如"几"和"多少"、"两"和"二"、"和"、"还"、"太"等也是本课的重点词语。除表示补充外，"还"有很多别的用法，以后将陆续接触到。

2. 前一课的句型和重点词语，都在本课课文中重现，起复习巩固的作用（以下各课均按此体例）。本课需要特别强调必须用结构助词"的"的定语和中心语词组，如本课出现的"你们家的照片"、"我的小狗"、"你们家的人""我们的好朋友"、"贝贝的照片"、"我们系的老师"、"你们的中国朋友"、"外语系的学生"等。

3. 汉语普通话在表达家庭成员的人数时，量词用"口"，如"我们家有五口人"。中国南方很多地方也用"个"，说"我们家有五个人"。

4. "你做什么工作？"是问职业的一种方式，询问职业的其他方式，以后会陆续介绍。

四、《课本》注释与语法

1 11~100 的称数法

11	十一	12	十二	13	十三	……	19	十九	20	二十
21	二十一	22	二十二	23	二十三	……	29	二十九	30	三十
31	三十一	32	三十二	33	三十三	……	39	三十九	40	四十
⋮		⋮		⋮			⋮		⋮	
81	八十一	82	八十二	83	八十三	……	89	八十九	90	九十
91	九十一	92	九十二	93	九十三	……	99	九十九	100	一百

2 数量词作定语

现代汉语中，数词一般不能直接放到名词前作定语，中间必须加量词。名词都有自己特定的量词，如：

Nu	+	M	+	N
五		口		人
一		个		姐姐
十二		个		系
二十		张		照片

"个"是用得最广的量词，可以用在很多指人、指物、指单位等名词之前（读轻声）。"张"通常用在表示像纸、照片、名片等有平面的物体的名词前。量词"口"与"人"连用时（如"五口人"）只限于说明家庭成员的总人数，一般情况下仍用"个"。如："我们班有二十个人"，不能说"我们班有二十口人"。

3　"有"字句

动词"有"作谓语主要成分的句子常表示领有和具有。它的否定形式是在"有"前加副词"没"（注意：不能用"不"）。正反疑问句则用"有没有"提问。

（没）有 + NP

Subject	Predicate		
	（没）有	O	QPt
我	有	姐姐。	
她	没有	男朋友。	
你	有	名片	吗？
你	有没有	照片？	
语言学院	有	十二个系。	
我们系	没有	外国老师。	
你们家	有没有	小狗？	

"有"字句的主语如果是表示单位或处所的名词，"有"就相当于英语的"there is/are"。

4　用"几"或"多少"提问

疑问代词"几"或"多少"都是用来问数目的，"几"常用于问比较小的数目（10以下），"几"和名词之间必须加量词；"多少"可用来问任何数目，后边可以加量词，也可以不加量词。

几 ＋ M ＋ N

A：你们家有几口人？
B：我们家有五口人。

多少（＋M）＋N

A：你们系有多少（个）学生？
B：我们系有五百个学生。

5 连词"和"

连词"和"一般用来连接代词、名词或名词性结构，如"他和她"、"哥哥和弟弟"、"我们老师和你们老师"。"和"不能用来连接两个分句，也很少连接两个动词。

6 "两"和"二"

当数词"2"与量词连用时，用"两"，不能用"二"。如"两张照片"、"两个人"（不能说"二张照片"、"二个人"）。当数词"2"单独使用时，如"一、二、三……"，或出现在多位数中，即使后边也有量词，也仍用"二"，如"十二"、"二十二"、"九十二个人"、"二百"等。

7 "还"（1）：表示有所补充

"还"的一个用法是表示有所补充。例如："我有两个姐姐，还有一个弟弟。""我认识马大为，还认识他朋友。"

8 副词"太"

副词"太"在表示否定的结构中，"不太"是"不很……"的意思，"不太大"就是"不很大"，"不太忙"就是"不很忙"。在表示肯定的结构中，如"太大（了）"、"太小（了）"、"太忙（了）"，则常有"过分"的意思。

五、语音教学

词的重音（二）

1.叠字名词的第一个字重读，第二个字读轻声。例如：

爸爸　妈妈　哥哥　弟弟　姐姐　妹妹　贝贝

2. 数词和量词结合时，一般是数词重读，量词轻读。例如：

一个（姐姐）　　八张（照片）

两个（弟弟）　　五口（人）

六个（老师）　　九本（书）

数词"十"单用时要重读。"十"和其他数字结合，在开头时不重读，如"十三"；在末尾时则需重读，如"三十"，但后面有量词时，"十"要轻读，如"三十个"、"五十张"。"十"夹在其他数字中间时也要轻读，如"二十八个"。

六、教师参考语法知识

1 一百以内整数的称数法

数词是表示数目的词。汉语的数词分基数词和序数词两种，基数词只表示数目的多少，不表示顺序。

汉语的基数词有系数词和位数词两种，这两种词都是封闭的类。系数词有：

零（〇）、一、二（两）、三、四、五、六、七、八、九、十

百以内的位数词有：个、十、百

汉语计数使用十进位制，十个一是十（$1 \times 10 = 10$），十个十是百（$10 \times 10 = 100$）。10以内的数只用系数词，1到10的读法是：

1	读作	一
2	读作	二
3	读作	三
4	读作	四
5	读作	五
6	读作	六
7	读作	七
8	读作	八
9	读作	九
10	读作	十

11到19的读法是：省略十位上的系数词"一"，只读十位上的位数词"十"和个位上的系数词。

11	读作	十一
12	读作	十二
13	读作	十三
14	读作	十四
15	读作	十五
16	读作	十六
17	读作	十七
18	读作	十八
19	读作	十九

20 到 100 的计数是把系数词和位数词结合起来，具体读法见下表。注意，"个"这个位数词永远不读出来。

系数词	位数词：百	位数词：十	位数词：个（不读，直接读系数词）	
			1（一）……………………… 9（九）	
2（二）		二十	二十一…………………………二十九	
3（三）		三十	三十一…………………………三十九	
4（四）		四十	四十一…………………………四十九	
5（五）		五十	五十一…………………………五十九	
6（六）		六十	六十一…………………………六十九	
7（七）		七十	七十一…………………………七十九	
8（八）		八十	八十一…………………………八十九	
9（九）		九十	九十一…………………………九十九	
1（一）	一百			

2 数量词组作定语

量词是表示事物单位的词。汉语名词和英语名词的一个重要区别是，如果要表示事物的数量，除了使用数词外，还要使用量词。换句话说，汉语的名词几乎都有特定的量词。

量词的使用规则是：数词 + 量词 + 名词。数词和量词统称"数量词组"。数词和量词之间一般不能再插入其他词。

"个"是使用最广泛的量词，用于没有专用量词的事物。如：

一个人

两个朋友

三个老师

四个学生

两个学校

一个系

一个名字

"层"用于重叠或累积的事物，如楼房。如：

三层楼

"口"通常专用于家庭、村庄中的人口。如：

我们家有五口人。

这个村子有八十口人。

"张"用于平面或部分有平面的东西。如：

一张纸

两张桌子

三张照片

一张名片

3　"二"和"两"的区别

数词"二"和"两"都表示"2"，但用法有区别。

在位数词"十"前，只能用"二"，不能用"两"。如：

二十一

二十二

二十三

在位数词"百"前，可以用"二"，也可以用"两"，"二百"和"两百"意思相同。

在普通量词前边，用"两"，不用"二"。如：

两个人

两张照片

两口人

4 "有" 字句

"有" 字句是一种常用的句式。"有" 字句和一般动词谓语句的重要区别是，"有"字句只能用 "没" 否定，不能用 "不" 否定。"有" 字句的基本意义是具有或领有，在这个基本意义之下，又可分为以下几种情况。

宾语表示的事物是主语的一部分，如：

> 语言学院有十二个系。
>
> 这座楼有五层。
>
> 人人都有两只手。

宾语表示的事物为主语所领有或属于主语，如：

> 我们系有二十个老师。
>
> 你有名片吗?
>
> 我有他的照片。
>
> 你们有没有小狗?

"有" 字句还表示宾语和主语有某种关系，如亲属关系等，如：

> 我有一个姐姐。
>
> 她没有男朋友。

5 用 "几" 和 "多少" 提问

"几" 可用来询问数目，所指的数目为二到九，"几" 和名词之间一定要有量词。如：

> A：一加一等于几?
>
> B：等于二。

> A：你们家有几口人?
>
> B：四口。

"几" 还可用在位数词 "十"、"百"、"千"、"万"、"亿" 之前和 "十" 的后面。如：

> A：你们学校有几千个学生?
>
> B：五千。

"多少" 可以对任何数目提问，后面可以使用量词，也可以不用。如：

> 你们学校有多少个系?
>
> 你们系有多少学生?
>
> 你们系有多少老师?

七、教师参考文化知识：亲属关系（谱系）

汉族人的亲属称谓非常复杂,详见下图(资料参考:《中国大百科全书·社会学卷》)。
（注: 括号中为口语中常用称谓。）

汉民族父系家庭主要亲属称谓表

汉民族母系家庭主要亲属称谓表

八、《综合练习册》中部分练习答案和听力文本

2

【听力文本】

① 你们家有几口人?

② 你是不是学生?

③ 你们家有小狗吗?

④ 林娜是不是中国人?

⑤ 你妈妈是医生吗?

⑥ 你的学校大吗?

3

① F ② F ③ T ④ T

【听力文本】

林娜:宋华,你看,这是我们家的照片。

宋华:你们家有四口人。

林娜:不,我们家有五口人。

宋华:照片上是四口人,还有谁啊?

林娜:还有我的小狗。

4

① 三口 ② 学生 ③ 小狗 ④ 有 ⑤ 是 ⑥ 两

【听力文本】

① 我们家三口人。

② 她是学生。

③ 你们家有小狗吗?

④ 你们班有多少人?

⑤ 你是学生。

⑥ 我有两张照片。

5

(听力文本)

照片　工作　家　哥哥　有　小狗

6

(听力文本)

王小云：你喜欢中国吗？

林　娜：我很喜欢中国。

丁力波：林娜，你的男朋友是不是中国人？

林　娜：他不是中国人。

王小云：马大为的女朋友是中国人。

丁力波：是啊，中国的女孩子真漂亮。

他今年二十岁

第九课
Lesson
9

一、教学目的

1 掌握本课重点句型和重点词语的用法

（1）年、月、日、星期的表达顺序

（2）表时间的词语作状语

（3）名词谓语句

（4）用"……，好吗？"提问

（5）副词"多"用来提问

2 掌握本课的"约会"、"问年龄和出生地"、"祝贺生日"等功能项目，能初步就有关"生日"的话题进行交际。

3 掌握汉字

（1）会认、会写基本汉字：今、年、果、其、上、午、出、尸、了、虫、耳、乞、米、头、瓦、面；

（2）会写部件：万、豖、礻、疋、一、艹、甫、缶、酉、彡、斗、西、甲、鸟、丰；

（3）会认、会写课文中已出现的汉字：岁、怎（么）样、课、星期、号、属、聚会、祝贺、吃、蛋糕、买、瓶、红、葡萄、酒、参（加）、宋华、北京、快（乐）、漂亮、烤鸭、喝、寿（面）。

4 了解有关词重音和词组重音的规律，正确掌握朗读和会话中的词重音和词组重音。

二、教学步骤建议（略）

三、内容说明

1. 本课重点句型是名词谓语句，这是汉语的四种主要句式之一，本课只出现表年龄的名词谓语句，下两课将继续介绍表价格和时间的。时间词作状语的位置是本课的又一重点。时间表达本课只介绍年、月、日、星期的表达，下一课介绍钟点的表达。

2. 本课提前出现了一些句式，只要让学习者懂其意思、能整体运用就行，在本课暂不讲解、分析。如：

"祝你生日快乐！"是兼语句，第十三课要专门介绍。

"你们来，我很高兴。"是因果复句，本册未介绍。

"十一月十二号我们再来吃寿面。"是连动句，第十一课将介绍。

四、《课本》注释与语法

1 年、月、日、星期的表达顺序

汉语年份的读法是直接读出每个数字，最后加上"年"。如：

一九九八年	yī jiǔ jiǔ bā nián
二○○○年	èr líng líng líng nián
二○○二年	èr líng líng èr nián
二○一○年	èr líng yī líng nián

十二个月的名称，由数字 1~12 依次排列，每个数字后加上"月"。

一月	yīyuè	January	七月	qīyuè	July
二月	èryuè	February	八月	bāyuè	August
三月	sānyuè	March	九月	jiǔyuè	September
四月	sìyuè	April	十月	shíyuè	October
五月	wǔyuè	May	十一月	shíyīyuè	November
六月	liùyuè	June	十二月	shí'èryuè	December

日期的表示法是由数字 1~30（或 31）依次排列，每个数字后加上"号"（口语）或"日"（书面语）。如：

（二月）六号	（èryuè）liù hào	February 6

（十月）十二号	（shíyuè）shí'èr hào	October 12
（十一月）二十二日	（shíyīyuè）èrshí'èr rì	November 22
（十二月）三十一日	（shí'èryuè）sānshíyī rì	December 31

说本月的某一天时，"月"可以省去，直接说"……号"。

一个星期七天的名称,是在"星期"后面依次加上数字1～6,表示从星期一到星期六。在中国每周是从星期一开始，一周的最后一天则为"星期日"（口语叫"星期天"）。

星期一	xīngqīyī	Monday	星期五	xīngqīwǔ	Friday
星期二	xīngqī'èr	Tuesday	星期六	xīngqīliù	Saturday
星期三	xīngqīsān	Wednesday	星期日	xīngqīrì	Sunday
星期四	xīngqīsì	Thursday			

汉语年、月、日和星期的顺序是：

年 ＋ 月 ＋ 日 ＋ 星期

二〇一〇年十二月二十五日星期六
2010 年　12 月　25 日　星期六

2 表时间的词语作状语

表示时间的词语，如"现在、今天、下午、二月十号"等都可以作状语，表示动作和状态发生的时间。时间状语可以放在主语之后、谓语主要成分之前，也可以放在主语前以强调时间。

S ＋ TW ＋ VO/A

| Subject | Predicate | | |
	Time words	V　O / A	
你	星期日	有　时间	吗?
我	上午、下午	都 有　课。	
宋华	一九八二年十月二十七日	出生。	
我	今天	很　　忙。	

TW + S + VO/A

Time words	Subject	Predicate		
		V	O	/ A
明天上午	你	有没有	课？	
星期日下午	我们	有	一个聚会。	
今天	我们	吃	北京烤鸭。	
十一月十二号	我们	再 来吃	寿面。	
今天	我	很		忙。

注意：

1. 表示时间的词语决不能放在句子的最后，如不能说"我们吃烤鸭今天"。

2. 如果表示时间的词语不止一个，表示较大时间单位的词总是放在前面，如"明天上午"、"星期日下午"。

3 名词谓语句

名词或名词结构、数量词等可以直接作句子的谓语，一般不用动词"是"。这种句子特别用来表示年龄、价格（见第十课）等。口语中也用来表示时间（见第十一课）、籍贯等。

S　+　Nu-M

Subject	Predicate	
	Time words	Nu-M
宋华	今年	二十岁。
林娜		十九岁。

4 用"……，好吗？"提问

用"……，好吗？"的疑问句常用来提出建议，征询对方的意见。这种疑问句的前一部分是陈述句，后面也可以用"可以吗？"。如：

我们买一个大蛋糕，好吗？

我们去游泳，好吗？

现在去，可以吗？

回答常用"好啊"、"好"、"太好了"，表示同意。

5　副词"多"用来提问

本课的"多"是副词，后面跟一个形容词，"多 + 形容词"用来提问。

用汉语询问年龄，要根据对方的不同情况选择恰当的问法。"你今年多大？"只能用于询问一般成年人或跟自己同辈人的年龄。"大"指年纪的大小。如果问小孩的年龄，用"你今年几岁？"。问老人或比自己年长的人，必须用更礼貌的问法。（第十一课将要学到）

五、语音教学

1　词的重音（三）

大多数三音节词和四音节词的最后一个音节是重音。三音节词常用的重音格式是"中轻重"。例如：

　　怎么样　　　　星期四　　　　葡萄酒　　　　中国人　　　　汉语系

四音节词常用的重音格式是"中轻中重"。例如：

　　生日蛋糕　　　生日快乐　　　外语学院

2　词组重音（一）

每个词组都有它的重音，即"词组重音"。词组重音只是在词重音上稍微加重，而不会转移词的重音位置，使原来非重读的音节变重。词组的重音和句子的结构有密切关系。可以按照句子成分来分析词组重音。（本书用"＿＿"表示词组重音。）

（1）主语 + 谓语，谓语重读。例如：

　　　　A：你喝吗？
　　　　B：我喝。

　　　　A：你参加吗？
　　　　B：我参加。

"是"字句中的"是"字一般不重读，后面的词重读。例如：

　　　　这是生日蛋糕。
　　　　星期日是宋华的生日。

（2）主语 + 动词 + 宾语，宾语重读。例如：

　　　　我有课。

我很喜欢烤鸭。

我们吃寿面。

（3）定语一般都重读。例如：

我们买一个大蛋糕，好吗？

今天我们吃北京烤鸭。

但注意：

＊人称代词作定语一般不重读，后面的名词重读。例如：

我们祝贺他的生日。

＊数词"一"和量词组成的定语不重读，其他数量词作定语都重读。例如：

我们买一个蛋糕，好吗？

我们再买两瓶红葡萄酒。

＊几个词连用作定语，距中心语最近的重读。例如：

我很喜欢你们的北京烤鸭。

我们买一个大生日蛋糕，好吗？

（4）名词谓语句中，谓语重读。例如：

宋华今年二十岁。

（5）人称代词作宾语则动词重读，宾语反而轻读。例如：

谢谢你！

祝贺您！

（6）形容词谓语句中，谓语重读。例如：

蛋糕真漂亮。

我很忙。

注意：在形容词谓语句中，"很"一般要轻读。

 六、教师参考语法知识

1　日期表示法

表示日期时，汉语的语序和英语不大相同。英语的基本顺序是"月、日、年"，汉语则是"年、月、日"。汉语的语序原则是"从大到小"，即大的单位在前，小的单位在后。

2 **时间词作状语**

时间词分为两种，一种表示时间的位置，也叫"时点"；一种表示时间的长度，也叫"时段"。

表示时点的词语如"2001年、三月、二十号、上午"等。表示时段的词语如"一年、两个月、一星期、三天"等。

作状语是时间词的主要功能。在第七课我们说过，汉语的状语往往在主语后、谓语前。时间词作状语时，既可以在主语后、谓语前，也可以在整个句子（主语）之前，这是它和其他一些状语的区别。需要注意的是，时间词作状语和汉语的其他状语一样，不在谓语之后，这是汉语状语的共同特点，也是和英语状语的最大区别。

如果作状语的时间词不止一个，则单位大的在前，单位小的在后，大单位对后面的小单位有限定作用。如：

> 宋华一九八二年出生。
>
> 宋华一九八二年十月出生。
>
> 宋华一九八二年十月二十七日出生。
>
> 宋华一九八二年十月二十七日上午出生。
>
> 宋华一九八二年十月二十七日上午八点出生。

3 **名词谓语句**

名词作谓语是汉语的一个特点。所谓名词谓语句是指由名词、时间词、代词、数词、数量词、名词词组或"的"字词组充当谓语的句子。

名词谓语句主要用于说明时间、天气、籍贯、年龄或数量关系等，也用来描写主语的特征等。

在名词谓语句中，单个名词作谓语的极为少见，一般是用名词词组作谓语。如：

> 他加拿大人。
>
> 一年三百六十五天。

名词谓语句多数可以在作谓语的名词前加上"是"，这样，名词谓语句就变成了"是"字句。如：

> 他北京人。
>
> 他是北京人。
>
> 一年十二个月。
>
> 一年是十二个月。

因为名词谓语句是从正面对主语进行描写或说明，所以它没有否定形式。如果要对一个名词谓语句进行否定或反驳，我们要使用"是"字句的否定形式。如：

A：今天星期天。

B：不对，今天不是星期天，今天是星期一。

A：他北京人。

B：他不是北京人，他是上海人。

名词谓语句一般都很短，基本上没有状语等修饰成分，但在某些情况下，可以有表示时间、范围的状语。如：

宋华二十岁。

宋华今年二十岁。

今天已经十二月三十一号了。

名词谓语句也常常用来描写主语的特征。如：

马大为高个子，蓝眼睛，黄头发。

林娜大眼睛，高鼻梁。

4 用"……，好吗？"提问

有时说话人可以先提出意见、建议、要求等，然后向听话人征求意见，这时，我们可以用"……，好吗？"。这种问句的格式是先说出一个陈述句，然后用"好吗/行吗/对吗/可以吗"来提问。对于这种问句，回答时只需用相应的肯定或否定的答语就可以了。如：

A：马大为是加拿大人，对吗？

B：对。

A：我们买一个大蛋糕，好吗？

B：好吧。

A：我们买一个大蛋糕，行吗？

B：行啊。

七、教师参考文化知识：中国人的属相

中国古代用干支表示年、月、日的次序。"干"和"支"是两套表示顺序的符号，相当于数字，前者叫"天干"，共有十个，后者叫"地支"，共有十二个。干支相配用于纪年，共有六十种组合，所以六十年为一个循环。

中国人又用十二种动物来代表人出生的年份，每种动物和一个特定的地支相对应，十二年为一个循环。这就是十二生肖。中国人问年龄，常说"你属什么？"，就是问你出生年所对应的生肖。只要你说出你属什么，就能推算出你的年龄。十二地支和十二生肖的对应关系是：

子　丑　寅　卯　辰　巳　午　未　申　酉　戌　亥
鼠　牛　虎　兔　龙　蛇　马　羊　猴　鸡　狗　猪

八、《综合练习册》中部分练习答案和听力文本

2

① A　　② A　　③ D　　④ A　　⑤ A

听力文本

① 你今年多大？

② 你的生日是几号？

③ 你今天下午有课吗？

④ 你怎么样？

⑤ 你今天参加不参加聚会？

3

① F　　② F　　③ F　　④ F

听力文本

小力：老马，你怎么样？

老马：我很好。小力，你忙不忙？

小力：很忙。我要去参加朋友的生日聚会。

老马：今天几号？

小力：今天十月十号。

老马：啊，我弟弟的生日也是今天。

4

① 上午　② 课　③ 生日　④ 寿面　⑤ 三　⑥ 星期一

听力文本

1　明天上午我有课。

2　你星期六有课吗?

3　你的生日是哪天?

4　喝红酒，吃寿面。

5　今天是十月三号。

6　我星期一有时间。

5

听力文本

明天　　祝贺　　下午　　红酒　　怎么样　　今天

6

听力文本

宋华：你们几号开学?

小王：九月一号开学。

宋华：九月一号是你的生日，对不对?

小王：对，你来参加我的生日晚会吗?

宋华：我当然参加。

我在这儿买光盘

一、教学目的

1 掌握本课重点句型和重点词语的用法

（1）介词词组

（2）双宾语动词谓语句（1）：给、送

（3）形容词谓语句和副词"很"

（4）"……，是不是 / 是吗？"问句

（5）指示代词"这"、"那"作定语

（6）"怎么 +V"

（7）"一斤……多少钱？"

（8）用疑问代词的问句小结

2 掌握本课的"喜欢不喜欢"、"解决语言困难"、"买东西"等功能项目，并能初步就"买东西"的话题进行交际。

3 掌握汉字

（1）会认、会写基本汉字：舟、皿、乐、足、书、本、平、走、己、穴、勿、金、斤、毛、戈；

（2）会写部件：⺌、匆、⺌、⻊、卩、⺈、生、西、钅、夫；

（3）会写、会认课文中已出现的汉字：光盘、音（乐）、商场、常（常）、跟、报、梁（祝）、先（生）、要、（师）傅、香蕉、苹（果）、对（不）起、容易、钱、块、分、送、给、找。

4 了解有关词组重音的规律，掌握朗读和会话中的词组重音。

二、教学步骤建议（略）

三、内容说明

1. 本课的重点句型是谓语动词为"给"、"送"等的双宾语动词谓语句（下一课将继续介绍"教"、"问"等为谓语动词的双宾语句）。这种句型对以英语为母语的学习者来说并不难。介词结构（本课只出现"在"、"给"，其余介词以后陆续出）是新的语法点，重点在于介词结构作状语时在句中的位置，另外有的介词同时又是动词，用法易混淆。本课将再次对形容词谓语句进行归纳（上一次是在第二课），这次强调副词"很"的作用。"……,是不是/是吗?"也是一种新的提问方式，是对上一课"……,好吗?"问句的补充。"怎么+V"是一种新的用疑问代词的问句；指示代词"这"、"那"作定语与名词中间要加量词，可与上一课数量词作定语相对照；"一斤……多少钱?"是名词谓语句的一种。最后对用疑问代词的问句作一小结。

2. 本课提前出现的句式有：

"这个汉语怎么说?"这是主谓谓语句。第十二课将介绍主谓谓语句的一种，本课暂不讲解、分析。

"不要了。"这是语气助词"了"的一种用法，第2册才介绍，这里也先不讲。

此外，"我是问"中的"是"表示强调。

四、《课本》注释与语法

1 介词词组

我们已经学过动词"在"（第五课）。"在"又是介词，常和它后边的名词或词组（一般为表示地点的词语）组成介词词组，放在谓语动词的前边，说明动作发生的地点。如：

$$在 + PW + V O$$

Subject	Predicate		
	在 + PW	V	O
我	在　这儿	买	光盘。
您	在　哪儿	工作?	
他	不　在　语言学院	学习。	

介词"跟"常和它后边的名词组成介词词组，放在谓语动词的前边说明动作的方式。如：

$$跟 + Pr/N（person）+ V O$$

Subject	Predicate			
	跟 + Pr / N		V	O
我	跟	力波	来	这儿。
（你）	跟	我	来。	
您	跟	我	学。	

注意：介词词组"在……"、"跟……"必须放在动词的前边，不能说"我学习在语言学院"、"你来跟我"。

2　双宾语动词谓语句（1）：给、送

有的动词可以带两个宾语，一个宾语通常是指人的，在前边；另一个宾语通常是指事物的，在后边。本课介绍的是有给予意义的动词带两个宾语。如：

$$给/送 + Pr/N（person）+ NP（thing）$$

Subject	Predicate		
	V	Object$_1$	Object$_2$
您	给	我	二十块钱。
（我）	送	您	一个苹果。
我	找	您	十块钱。

注意：汉语里不是所有的动词都能带两个宾语。

3　形容词谓语句和副词"很"

我们已经接触过很多形容词谓语句，这类句子的主语后面直接加形容词，不用动词"是"。但形容词前边如果没有副词"真"、"太"、"不"等，常常要加一个副词"很"。如：

$$S + 很 + A$$

我<u>很</u>好。

我今天<u>很</u>忙。

这个商场<u>很</u>大。

这是因为形容词前不加副词，往往有比较的意思。如：

我忙，他不忙。

我的本子大。（他的本子小。）

这里的"很"，"very"的意思已不明显。"我很忙"和"我忙"的程度差不多。在正反疑问句中，不能用"很"，如"他高兴不高兴？"不能说成"他很高兴不很高兴？"。

4　用"……，是不是／是吗？"提问

"……，是不是？"（或"……，是吗？"）这种句式常用来表示一种估计，向对方询问。回答的时候，如果同意这种估计，就用"是啊！"。如果不同意就用"不（是）。"如：

A：你喜欢中国音乐，是吗？

B：是啊。

5　指示代词"这"、"那"作定语

指示代词"这"、"那"作定语时，被修饰的名词前一般也要用量词，如"这张光盘"、"那个朋友"、"那瓶酒"。

6　"怎么 +V"

"怎么 +V"常用来询问某一动作或行为的方法，"怎么"是状语，修饰动词。如"怎么说？"、"怎么做？"、"怎么去？"、"怎么介绍？"等。

7　"一斤……多少钱？"

"一斤……多少钱？"是买东西时问价格的常用语，这也是一种名词谓语句，数量词谓语"多少钱"直接放在主语"一斤……"的后边。注意这种句子的前后两部分可以互换，也可以说："多少钱一斤（……）？"、"三块二一斤。"

中国的度量衡制度规定重量用"公斤"（gōngjīn, kilo），但民间仍习惯用"斤"，一斤等于1/2公斤。

在超市或大商场买东西，是不能还价的；在自由市场或小摊上买东西时，可以讨价还价。

8　用疑问代词的问句小结（附在《综合练习册》中）

我们已经学过很多带疑问代词的问句。这类问句的词序与陈述句一样，也就是说，需要问句子的哪一部分，就将这一部分改为相关的疑问代词。

Interrogative pronoun	Statement	Question
谁 who	那是马小姐。 他是我们老师。 这是张教授的名片。	那是谁? 谁是我们老师? 这是谁的名片?
什么 what	这是苹果。 他学习美术专业。	这是什么? 他学习什么专业?
哪 which	我是中国人。	您是哪国人?
哪儿 where	他北京人。 她在这儿。 我在美术学院学习。	他哪儿人? 她在哪儿? 您在哪儿学习?
怎么样 How is it	这张光盘很好。	这张光盘怎么样?
怎么 how	这叫苹果。	这个汉语怎么说?
几 how many; how much	我们家有五口人。 今天十月二十四号。 明天星期六。	你们家有几口人? 今天几号? 明天星期几?
多少 how many; how much	我们系有二十八个老师。 一斤香蕉三块二毛钱。	你们系有多少老师? 一斤香蕉多少钱?

五、语音教学

词组重音（二）

1.状语一般都重读。例如：

> 这也是苹果。

> 我们都在语言学院学习。

状语一般重读。但否定副词作状语，如果不强调否定时，一般不重读。动词后边如有宾语，状语也不重读。例如：

> 我常常去。

> 我不去买本子。

　　星期天我常常跟林娜去商场。

　　2.指示代词"这、那"作主语或定语一般要重读。例如：

　　　　这是香蕉苹果。
　　　　这叫香蕉苹果，那是葡萄。
　　　　这个商场很大。

　　3.介词词组作状语，而动词后又有宾语时，介词的宾语和动词的宾语都重读，介词轻读。例如：

　　　　我跟林娜去商场。
　　　　我在语言学院学习汉语。

六、教师参考语法知识

1 介词词组

　　介词是一种虚词，它用在名词、代词、名词性词组前，和后边的名词等构成介词词组。汉语的介词有很多是从动词蜕化而来的，所以介词和动词有些共同的特点，而且有一些词兼属动词和介词两类。例如"我在家"和"我在家看书"，前一句的"在"是动词，后一句的是介词。由于介词和动词关系密切，所以我们要弄清介词和动词的区别，弄清介词的语法特征。

　　第一，介词是虚词，不能单独作谓语，也不能单独回答问题。

　　第二，动词可以重叠，可以带动态助词（了、着、过），介词不能重叠，不能带动态助词。

　　第三，介词不能单独充当语法成分，即不能单独作主语、谓语、宾语等，它必须和名词或名词性词组一起构成介词词组，才能充当语法成分。介词后的名词性成分是介词的宾语。

　　作状语是介词的语法功能之一。

　　"在"是表示动作、行为发生的处所的介词。"在"后面加上表示地点、场所的名词或名词词组，构成"在……"的介宾词组，放在动词前作状语。如：

　　　　我在这儿买光盘。
　　　　你在哪儿工作？
　　　　他不在语言学院学习。

"跟"是表示动作、行为所协同的对象的介词。"跟"后边加上表示对象的名词或代词，构成介宾词组，作状语。"跟……"的作用是，表示主语和"跟"的宾语共同做某事。如：

> 我跟你去。
>
> 你跟我来。

2 双宾语动词谓语句："给"型

和英语一样，汉语也有双宾语句。所谓双宾语句，就是一个谓语动词带有两个宾语，其中一个宾语指人，另一个宾语指物或事。本课所学的双宾语句是最简单的一种——"给"型双宾语。

"给"型双宾语的基本意义是，把某种东西送给某人，即某个东西从一个人转移到另一个人。在"给"型双宾语句中，表示人的词紧跟在动词后，表示物的词在表示人的词之后。根据两个宾语距离动词的远近，表示人的词叫"近宾语"，表示物的词叫"远宾语"。在英语里，这两种宾语分别称为"间接宾语（表示人）"和"直接宾语（表示物）"。这只是名称上的差异而已，在句子结构上，汉语的"给"型双宾语和英语相应的句子几乎完全一样。

能够出现在"给"型双宾语句中的动词是有限的，常用的有"给"、"送"、"找"、"还"、"租"、"卖"等有"给予"意义的动词。如：

> 您给我二十块钱。
>
> 我找您十块。
>
> 我送您一个苹果。
>
> 我还你一百块钱。
>
> 他租我一间房子。
>
> 他卖我两斤水果。

3 副词"很"

"很"是表示程度的副词，其意义是程度高，常用在形容词谓语句里。当谓语是单音节形容词时，一般要在形容词前加"很"。这时候，"很"的作用主要不是表示程度高，而是使谓语凑成双音节。如：

> 我很忙。
>
> 我很好。
>
> 这个商场很大。

如果把上例中的"很"去掉，整个句子则含有和另一个事物比较的意味。如：

> 我忙。（暗含：别人不忙。）
>
> 我好。（暗含：别人不好。）
>
> 这个商场大。（暗含：那个商场小。）

4 疑问代词

汉语的疑问代词按性质可以分成两类，一类是名词性的，一类是动词性的。按照所问的方面，疑问代词又可以分为四组。

性质	有疑问的方面	疑问代词
名词性	人、事物	谁、什么、哪
	时间、处所	多会儿、哪会儿、哪儿、哪里
	数目	多少、几
动词性	形状、方式等	怎么、怎么样、怎样

"谁"和"什么"的用法及在句中的位置和名词完全一样，把陈述句变成疑问句时，只要把所问的名词或代词换成"谁"或"什么"即可。如：

A：谁是你们的老师？
B：张教授是我们的老师。

A：他找谁？
B：他找我。

A：这是谁的名片？
B：这是我的名片。
A：这是什么？
B：这是苹果。

A：你学什么专业？
B：我学美术专业。

A：什么是疑问句？
B：提出问题的句子就是疑问句。

"谁"和"什么"没有单数复数之分，亦即"谁"和"什么"既可以指单数，也可以指复数，这要根据上下文来判断。如：

A：谁是你的朋友？
B：马大为是我的朋友。

A：谁是你的朋友？
B：马大为、丁力波、林娜都是我的朋友。

A：请问，你买什么东西？

B：我买一斤苹果。

A：请问，你买什么东西？

B：我买一斤苹果、两斤香蕉、三斤葡萄。

"哪"的后面往往要带量词或数量词组，不能单用。"哪"有单数和复数之分，其复数形式是"哪些"。如：

A：哪位是他们的老师？

B：我是他们的老师。

A：哪张名片是你的？

B：那张是我的。

A：哪些学生是语言学院的？

B：我们都是语言学院的。

"哪儿"和"哪里"的意思和用法完全一样，都是问地点、处所的疑问代词，只是口语里多用前者而少用后者。如：

A：他是哪儿人？

B：他是北京人。

A：马大为在哪儿？

B：他在宿舍。

A：你们在哪儿学习？

B：我们在语言学院学习。

"多少"和"几"是问数目的词，二者的区别是：

第一，汉语使用十进位。"几"是专门对位数词提问的疑问代词，它问的是某一数位上的数目有多少个。可构成"几+个、十、百、千、万……"的格式，就特定的位数提问整数，如"几百、几千、几万"等；也可放在已知的整位数后问未知的余数，如："二百二十几？"

用"多少"只是就整个数目提问，如：

A：有多少人？

B：二百五十人。

而用"几"提问时，在多位数中，除"几"所问到的位数以外，其余位上的数目是已知的。如：

A：有二百二十几个人？

B：二百二十八个人。

还可问："有二百几十几个人？"回答是："二百二十八个人。"

第二，"几"和名词连用时，往往要在中间插入量词。如：

你们家有几口人？

你们家有多少人？

你们学校有几个系？

你们学校有多少系？

这种苹果几块钱一斤？

这种苹果多少钱一斤？

 七、教师参考文化知识：计量单位

中国传统的计量单位是"市制"，现在中国的法定计量单位采用国际单位制。常用的长度和质量（重量）单位及其与英制的换算关系见下表。

常用计量单位及换算关系				
	法定单位	市制	英制	换算关系（小数点后保留两位）
长度	千米/公里（km）	市里（华里）	英里（mile）	1千米=2市里=0.62英里
	米（m）	市尺	英尺（foot）	1米=3市尺=3.28英尺
	分米（dm）			
	厘米（cm）	市寸	英寸（inch）	1厘米=0.30市寸=0.39英寸
	毫米（mm）			
质量	千克/公斤（kg）	市斤	磅（pound）	1千克=2市斤=2.20磅
		市两		1市两=50克
	克（g）			1克=0.02市两

八、《综合练习册》中部分练习答案和听力文本

2

[听力文本]

① 马大为去商场买什么？

② 他常去商场吗？

③ 音乐光盘在哪儿买？

④ 香蕉多少钱一斤？

⑤ "Apple"汉语怎么说？

3

① F   ② F   ③ F

[听力文本]

（在商场）

顾　客：这双皮鞋多少钱？

售货员：很便宜，一双皮鞋一百块钱。

顾　客：那个包多少钱？

售货员：那个包两百三十七块，有很多颜色。

顾　客：我要一双皮鞋和一个包，一共多少钱？

4

① 什么   ② 给   ③ 五块钱   ④ 多少钱   ⑤ 大

[听力文本]

① 你还要什么？

② 再给你一个橘子。

③ 我给你五块钱？

④ 一共多少钱？

⑤ 这家商店很大。

5

[听力文本]

钱　苹果　容易　要　工作　对不起

6

听力文本

（在加油站）

女士：一升油多少钱？

师傅：一升油五块六。

女士：给我的车加三十升油。

师傅：没问题。一共是一百六十八块。

女士：给你二百。

师傅：好，找你三十二。

女士：谢谢。

我会说一点儿汉语

一、教学目的

1 掌握本课重点句型和重点词语的用法

（1）钟点

（2）能愿动词谓语句（1）：会、能、可以、应该

（3）连动句（1）：表示目的

（4）双宾语动词谓语句（2）：教、问

（5）"一点儿"

（6）"还"（2）：表示现象或动作的继续

2 掌握本课的"问时间"、"表示能力"、"表示允许或禁止"等功能项目，能初步就"乘出租车"以及"学语言"的话题进行交际。

3 掌握汉字

（1）会认、会写基本汉字：占、里、至、央、东、西、免、半、与、页、以；

（2）会写部件：羊、刂、亥、手、垂；

（3）会认、会写课文中已出现的汉字：司机、点钟、差、刻、回、能、到、英（语）、孙（女）（儿）、（岁）数、拜（拜）、昨（天）、玩（儿）、写、晚（上）、睡觉、（起）床、应该、（问）题、陈。

4 了解有关句调的规律，正确掌握朗读和会话中的句调。

二、教学步骤建议（略）

三、内容说明

1. 本课的重点句型是能愿动词谓语句。这种句型以英语为母语者不难掌握，但各个能愿动词本身的意义和功能有交叉，因此句型的运用比较复杂。本书采取分几课出的方法，并突出每个能愿动词的主要功能，同一课尽量避免意义上的交叉。本课在介绍表示能力的功能时，突出"会"、"能"两个词；表示客观条件允许或禁止时，突出"能"、"可以"；表示情理上或事实上的需要时则先介绍"应该"，让学习者先抓住主要的、基本的用法。其他如"可以"表示能力、"会"表示需要等，暂不介绍或不重点介绍，有的留待以后再出（第十二课、第十三课继续出，第十四课小结），以免混淆。希望老师们在教本课时也按上述思路，不要另外补充太多的其他能愿动词的用法。

2. 连动句对英语为母语者来说也容易学会，本课只教其中的一种，即第二个动词表示前一动词所表达的动作的目的，其他连动句式以后教。双宾语动词谓语句本课补充一项：动词为"教"、"问"。时、分、秒的表示法及顺序，需要大量练习才能掌握，教师可用教具钟，在课堂上进行练习。此外，还有不定量词"一点儿"和副词"还"两个词语的用法，也是本课练习的重点。

3. 本课提前出的而暂不讲解、分析的句型有：

语言学院到了。——语气助词"了"的用法

还没有起床。——"还没有"表示应该完成而尚未完成的动作

学英语不容易。——动词结构作主语

四、《课本》注释与语法

1 钟点

汉语里表示钟点的词有"点（钟）"、"刻"和"分"，如"八点二十五分"。

汉语钟点的读法是：

2：00	两点（钟）	（"点钟"中的"钟"可以省。）
2：05	两点（零）五分	（当"分"是个位数时，"分"前可以加"零"。）
2：10	两点十分	
2：12	两点十二（分）	（当"分"的数字大于10时，"分"可省略。）

2：15	两点一刻　或　两点十五（分）
2：30	两点半　或　两点三十（分）
2：45	两点三刻　或　差一刻三点　或　两点四十五（分）
2：55	差五分三点　或　两点五十五（分）

钟点与年、月、日、星期的顺序是：

年 + 月 + 日 + 星期 + 上午 / 下午 / 晚上 + 钟点

二〇一〇年十二月一日星期三晚上八点二十五分

2010 年 12 月 1 日星期三晚上 8：25

此外，还有"分钟"的说法，如"还有五分钟"。但"分钟"表示的是时段而不是钟点。

2 能愿动词谓语句（1）：会、能、可以、应该

能愿动词"会、能、可以、应该"等常常放在动词前表示能力、可能或意愿。能愿动词"会、能、可以"都表示有能力做某事，都能译成英语中的"can"。

但"会"特别强调通过学习掌握了某种技巧，"能、可以"则在较广的意义上表示某种能力。

（不）OpV + V　O

Subject	Predicate			
	TW	（不）OpV	V	O
你		会不会	说	汉语？
他		不会	打	球。
我		会	写	这个汉字。
谁		会	游泳？	
他孙女儿		能	教	他英语吗？
马大为	今天	能不能	上	课？
你朋友		能	喝	多少酒？
你		可以不可以	介绍一下你们系？	

"能、可以"还表示客观条件允许或禁止。如：

Subject	Predicate			
	TW	（不）OpV	V	O
我们	八点	能不能	到	那儿？
我	明天	不能	上	课。
（我）		可以	进来	吗？
这儿		不可以	吃	东西。

能愿动词"应该"表示情理上或事实上的需要。如：

Subject	Predicate		
	（不）OpV	V	O
他	应该	来 上	课。
你	不应该	去	那儿。

注意：

1. 带能愿动词的句子，正反疑问式（V/A-not-V/A）通常是并列能愿动词的肯定和否定形式，即：

OpV	–	不	–	OpV	+	V/O
会		不		会		说汉语
能		不		能		去
可以		不		可以		介绍

2. "能、可以"的否定形式一般都是"不能"。只有在表示禁止的意思时，才能说"不可以"，如"不可以吸烟"。而"你可以不可以介绍一下你们系？"这个问题的回答如果是否定的，应该是"我不能介绍我们系"，不能说："我不可以介绍我们系。"

3. 简短地回答问题，可以只用能愿动词。如：

A：你会说汉语吗？

B：不会。

A：可以进来吗？

B：可以。

4. 有的能愿动词同时也是一般动词。如："他<u>会</u>英语。""我<u>要</u>咖啡。"

3 连动句（1）: 表示目的

在动词谓语句里，同一个主语可能带有几个连用的动词或动词词组，而且这些动词结构的先后顺序是固定的。本课介绍的连动句中后一动词往往是前一动词所表达的动作的目的。如：

$$S + V_1O + V_2O$$

Subject	Predicate				
	TW	V₁	O	V₂	O
我	现在	回	学院	上	课。
他	下午	去不去	朋友家	玩儿?	
他	下午	不去	朋友家	玩儿。	

4 双宾语动词谓语句（2）: 教、问

"教"、"问"这类动词后边也可以带两个宾语。如：

Subject	Predicate		
	V	Object₁	Object₂
他孙女儿	教	他	英语。
哪个老师	教	你们	中国文化?
他	问	我	一个问题。
他	问	你	什么?

5 "一点儿"

"一点儿"是表示"少量"的不定数量词，用来修饰名词。当语言环境清楚时，它所修饰的名词可以省略，如：

    A: 您会说汉语啊!
    B: 我会说一点儿（汉语）。

"一点儿"不在句首时，"一"可以省略。如："吃（一）点儿烤鸭"、"喝（一）点儿酒"、"看（一）点儿书"等。

6　"还"（2）：表示现象或动作的继续

我们已经学过"还"的第一个用法是有所补充。"还"的第二个用法是表示一种现象的继续存在或一种动作继续进行。如：

> 晚上十一点他还工作。
>
> 他现在还不能看中文报。
>
> 他还没有起床。

五、语音教学

1　词组重音（三）

长句一般可以先分为几个词组，再按照词组分析重音。（本书用"//"表示词组分节号。）例如：

> 我 // 常常在家 // 学点儿英语。

2　句调（一）

汉语中有两种基本句调：高句调和低句调。高句调是全句较为均衡地升高，低句调是全句较为均衡地降低。汉语的句调要注意贯穿全句。无论升高或降低都必须保持音节原来的声调。

汉语句调尾音的升高或降低，在句尾非轻读音节上表现得很明显。高句调的句尾除了升高的以外，也有降低的；低句调的句尾除了降低的以外，也有升高的。

（1）带"吗"的疑问句读高句调，句尾升高。例如：

> 请问，您是我们学院的老师吗？↗
>
> 你们都好吗？↗
>
> 我们八点能到吗？↗

（2）陈述句读低句调，句尾降低。例如：

> 我去语言学院。↘
>
> 马大为今天不能来上课。↘
>
> 我是学生，现在回学院上课。↘

（3）用语气助词"啊"表示感叹的语气一般读低句调，语速慢，句尾降低，尾音拉长。例如：

> 你会说汉语啊！↘
>
> 蛋糕真漂亮啊！↘

六、教师参考语法知识

1 能愿动词（1）

能愿动词数量有限，但用法复杂，其中基本功能是表示意愿和可能。能愿动词的语法特征和非动作动词相近，主要有以下几个：

第一，能愿动词能够单独作谓语。如：

> A：你会说汉语吗？
>
> B：会。

第二，能用正反疑问句的方式提问。如：

> 你会不会说汉语？

第三，能愿动词可以受某些副词的修饰，如：

> 他很能喝酒。
>
> 我可以去，你也可以去。
>
> 我不太会打篮球。

第四，能愿动词的宾语一般不能是名词或名词性词组，而只能是动词、形容词或谓词性词组。如：

> 你会不会说汉语？
>
> 我会游泳。
>
> 你可不可以介绍一下你们的关系？

第五，能愿动词不能重叠，不能带"了"、"着"、"过"等动态助词。

"能"有以下几个主要意义：

（1）表示主观上有某种能力：

> 我会说汉语，能看中文书。
>
> 我能帮助你学汉语。
>
> 马大为能说好几种语言。
>
> A：你的朋友能喝多少酒？
>
> B：五瓶。

（2）表示具备客观条件：

> 八点以前我们能到学校。

他感冒了，不能去上课。

天气太暖和，水不能结冰。

（3）表示情理上许可，一般用于疑问句和否定句：

你病了，不能去上课。

这是别人的钱，我不能花。

好人不能干坏事。

（4）表示"准许"，多用于疑问句和否定句：

我能用一下你的词典吗？

办公室里不能吸烟。

"可以"有以下几个主要意义：

（1）表示"准许"或情理上许可：

你可以介绍一下你的家庭吗？

我可以进来吗？

这儿不可以吃东西。

教室里不可以吸烟，休息室里可以。

（2）表示主客观条件容许做某事：

他可以说三种外语。

天气暖和了，可以游泳。

八点以前我们可以到学校。

（3）表示"值得"：

这本书不错，你可以看看。

这个曲子很有名，你可以听听。

2　连动句（1）

有时句中可以连用两个或两个以上的动词或动词词组，几个动词或动词词组共用一个主语，这样的句子叫"连动句"。连动句的结构特点有两个：

第一，连动句中动词或动词词组之间的次序是固定的，不能任意改变。如果任意改变这个次序，句子的意义或结构就会发生改变，有时甚至会出现病句。

第二，连动句的主语多是施事，即动作行为的发出者。

连动句有不同的类型，本课所学的是其中的一种，其意义是后一动词（或词组）表示前一动作的目的。

我回学校上课。（"回学校"的目的是"上课"。）

他下午去朋友家玩儿。("去朋友家"的目的是"玩儿"。)

我打电话叫他来吃饭。("打电话"的目的是"叫他","他来"的目的是"吃饭"。)

我去中关村买一台电脑玩儿游戏。("去中关村"的目的是"买电脑","买电脑"的目的是"玩儿游戏"。)

3　双宾语动词谓语句："教"型

双宾语，我们已经学过"给"型，现在来学"教"型。能够带"教"型双宾语的动词，常见的有"问、教、告诉、回答、通知、答应、报告"等，这类动词有一个共同特点，即都和说话有关，其基本意义是"叙说"。"教"型双宾语的基本意义是，用说话或类似方式使某人知道某事。这种句子的近宾语多是人，远宾语则表示事情。如：

我问你一个问题。

他教我们汉语。

我告诉你一个好消息。

他回答了我们几个问题。

办公室通知大家几件事。

你必须答应我们几个条件。

我向你报告一个情况。

七、教师参考文化知识：谦辞

面对称赞，中国人往往表现出谦虚，相应地，汉语里有一些表示谦虚的说法，叫"谦辞"。"哪里"就是一个谦辞。当受到别人称赞、夸奖时，中国人一般不是像说英语的人那样说"谢谢"，而是说"哪里哪里"。如：

A：你的汉语很不错。

B：哪里哪里。

A：你的衣服真漂亮。

B：哪里哪里。

"哪里"是"您说到哪里去了"的缩略形式，意思是你对我的评价过高了。当然，这不说明中国人不愿意接受赞美，也不是说真的认为别人的称赞言过其实，而只是面对称赞的一种谦虚的表示。不过，习俗文化随着时代在也在不断变化，现在年轻人也越来越多地用"谢谢"来回答别人的夸奖了。

八、《综合练习册》中部分练习答案和听力文本

2

听力文本

① 你会说汉语吗?

② 现在几点?

③ 你今年多大?

④ 谁教你学汉语?

⑤ 你们几点上课?

3

① T　　② F　　③ F

听力文本

女士:请问,现在几点?

司机:差一刻八点。

女士:师傅,你能不能快点儿?

司机:你几点上课?

女士:我八点半上课。

司机:没有办法,现在堵车。

4

① 一点儿　② 九点　③ 差五分九点　④ 英语　⑤ 应该

听力文本

① 我们会说一点儿汉语。

② 你们五点上课。

③ 现在差五分九点。

④ 我的英语不好。

⑤ 我应该来。

5

听力文本

女儿　能　回　起床　东西　问题

6

［听力文本］

（在宿舍聊天）

林　　娜：我昨天坐出租车，司机说我的汉语不错。

王小云：他为什么说你的汉语不错？

林　　娜：他问我现在几点。

王小云：你说什么？

林　　娜：我说，差一刻六点。

王小云：不错。林娜，现在几点？

林　　娜：一刻六点差。

第十二课
我全身都不舒服

一、教学目的

1 掌握本课重点句型和重点词语的用法

（1）主谓谓语句

（2）选择疑问句

（3）能愿动词谓语句（2）：要、想、愿意

（4）代词"每"

（5）"跟＋N＋一起"

（6）介词"给"

（7）"有（一）点儿"

2 掌握本课的"谈身体状况"、"表示意愿"、"表示必要"等功能，能初步就"看病"的话题进行交际。

3 掌握汉字

（1）会认、会写基本汉字：予、舟、冬、令、牙、衣、自、发、主、厂；

（2）会写部件：夂、疒、东、冫、戈；

（3）会认、会写课文中已出现的汉字：全（身）、舒服、每、疼、嗓（子）、锻炼、想、病、（身）体、吧、冷、穿、休息、挂（号）、（发）炎、（发）烧、感冒、住（院）、（中）药、愿（意）。

4 了解有关句调的规律，正确掌握朗读和会话中的句调。

二、教学步骤建议（略）

三、内容说明

本课重点句型是主谓谓语句（只介绍其中一种，其他主谓谓语句以后会陆续出现）和选择疑问句。能愿动词谓语句介绍"要"、"想"、"愿意"等表示意愿的动词以及"要"表示事实上的需要。其余均为词语的用法："每"、"跟 +N+ 一起"、"给"（介词）、"有（一）点儿"等。初学者常把"有（一）点儿"与"一点儿"的用法弄混，需要提醒一下。

四、《课本》注释与语法

1 主谓谓语句

主谓谓语句的谓语主要成分是一个主谓结构。在很大一部分主谓谓语句中，主谓结构的主语（Subject₂）所指的人或事物常常是全句主语（Subject₁）所代表的人或事物的一部分。例如：

Subject $_1$	Predicate $_1$	
	Subject $_2$	Predicate $_2$
马大为	头	疼。
他	全身	都不 舒服。
你	身体	好 吗？
宋华	学习	怎么样？
今天	天气	冷不冷？

否定副词"不"常放在主谓结构的谓语（Predicate₂）前边。正反疑问句也是并列 Predicate₂的肯定和否定形式。

2 选择疑问句

选择疑问句用连词"还是"连接两种可能的情况 A 和 B，由回答的人在 A 和 B 中选择其一。例如：

Question			Answer
Alternative A	还是	Alternative B	
现在去	还是	下午去?	现在去。（Alternative A）
你看病	还是	他看病?	他看病。（Alternative B）
你愿意吃中药	还是	愿意吃西药?	我愿意吃中药。（Alternative A）
你是老师	还是	学生?	我是学生。（Alternative B）

3　能愿动词谓语句（2）：要、想、愿意

能愿动词"要"和"想"都表示主观的意愿和要求，基本意思一样。有时"要"更强调具体做某事的意志、要求（否定形式是"不想"）；"想"侧重于打算、希望。例如：

> 我要吃烤鸭。
>
> 我想去北京吃烤鸭。

"愿意"也是表示一种意愿，常常是因符合自己的心愿而同意做某事或希望发生某事。例如：

Subject	Predicate		
	（不）OpV	V	O
马大为	要	睡觉。	
丁力波	想	学习	美术。
他	不想	去	医院。
她	愿意不愿意	参加	聚会?

能愿动词"要"还表示事实上的需要，否定形式是"不用"。例如：

> 他要不要住院?
>
> 明天天气怎么样? 要多穿衣服吗?
>
> 明天不用多穿衣服。

4　代词"每"

代词"每"修饰名词时，也要在名词前用量词。如"每个学生"、"每斤苹果"。但"天"、

"年"等名词前不需要量词,只能说"每天"、"每年"。"月"前可以用也可以不用量词,如"每月"、"每个月"。"每"在句子中常常与"都"连用,如"他每天都来学院"、"我每月都回家"。

5 "跟＋N＋一起"

介词结构"跟＋N"放在动词前边作状语时,常常跟副词"一起"连用,成为"跟＋N＋一起"。如:"他跟他朋友一起做练习。""他跟宋华一起锻炼。"

6 介词"给"

"给"是动词(见第十课),也是介词。介词"给"和它后面的名词或词组(一般是受动者)组成介词结构,用在谓语动词的前边说明动作所为的对象。

7 "有(一)点儿"

"有(一)点儿"("一"常常省略)用在某些形容词或动词前作状语,表示轻微的程度。用在形容词前还常有不如意或否定的意思。如"有点儿不高兴"、"有点儿贵"、"有点儿晚"等。

注意:"有一点儿"与"一点儿"用法不一样。"有一点儿"作状语,修饰后面的形容词或动词;"一点儿"作定语,修饰名词,如"一点儿东西"、"一点儿钱"、"一点儿书"等。"一点儿＋N"常放在动词后面作宾语,如"我去买一点儿东西"。"一点儿"不能代替"有一点儿",如:

他有点儿不高兴。(不能说"他一点儿不高兴。")

我有点儿发烧。(不能说"我一点儿发烧。")

五、语音教学

句调(二)

1. 由能愿动词肯定式与否定式构成的正反问句,一般读高句调,其中肯定式重读,否定式轻读,句尾降低。在答句中,能愿动词要重读。例如:

A:他要不要住院?↓

B:他不用住院。↓

A:我能不能问您一个问题?↓

B:可以。↓

2. 选择问句中,选择部分重读,连词"还是"轻读。全句可分为两个部分:"还是"以前的部分读高句调,句尾上升,可以稍有停顿;"还是"以后读低句调,句尾降低。例如:

现在去↗还是下午去？↘

你愿意吃中药↗还是愿意吃西药？↘

六、教师参考语法知识

1 主谓谓语句（1）

　　主谓谓语句是汉语特有的一种句式，其结构特点是，谓语由一个主谓结构构成，换句话说，主谓谓语句中包含两个主谓结构：全句是一个主谓结构，而谓语又是一个主谓结构。因此，主谓谓语句中就有两个主语，一个是全句的主语，在前，我们称为"大主语"；另一个是作谓语的主谓结构的主语，在大主语后，我们叫"小主语"。小主语和大主语有一定的关系。

　　主谓谓语句有几种类型，本课先讲第一种。这种主谓谓语句的特点是，小主语是大主语的所属部分或小主语是大主语的一个方面。这类句子的用途是对人或事物本身，从某一方面进行说明、描写、评议或判断。如：

　　　　他头疼。（"头"是"他"的一部分。）

　　　　你身体好吗？（"身体"是"你"的部分。）

　　　　宋华学习很好。（"学习"是"宋华"表现的一个方面。）

　　　　汉语发音不难，汉字难。（"发音"和"汉字"是汉语的不同方面。）

　　在主谓谓语句中，整个句子和作谓语的主谓结构中都可以有状语。状语位置不同，修饰的范围不同，意义上也有差异。如：

　　　　昨天我肚子疼。

　　　　我昨天肚子疼。

　　　　我肚子昨天疼，今天不疼。

　　　　宋华一直学习很好。

　　　　宋华学习一直很好。

2 选择疑问句

　　当我们就两种可能的情况之一提出问题时，可以用选择疑问句。选择疑问句是用连词"还是"连接两种可能的情况，"还是"的意思相当于"或者"。如：

　　　　你去还是他去？

　　　　你看病还是他看病？

有时候可选择的情况也可能多于两种，如：

> 你喝茶、咖啡，还是喝可乐？

3 能愿动词（2）

本课讲能愿动词"要"、"想"、"愿意"。

"要"的主要意思侧重于表示意愿，"想"侧重于表示打算。

> 丁力波要学习美术。
>
> 丁力波想学习美术。

"愿意"表示主观意愿。如：

> 丁力波愿意学美术，不愿意学经济。

七、教师参考文化知识：中国的医院

中国的医院以公立为主，私立医院或私人诊所目前还很少，规模也小。和欧美的医院不同，中国的医院是医、药不分的。病人到医院看病，医生作出诊断，给他开出处方，然后病人到医院的药房去付药费、取药，不是病人拿着医生的处方，到街上的药店去买药。

中国也有药店，如果得了小病，人们也常常去药店买药，而不去医院。中国还区分处方药和非处方药，处方药必须凭医生的处方才能买，非处方药则不必。

八、《综合练习册》中部分练习答案和听力文本

2

听力文本

① 马大为为什么不能上课？

② 马大为是头疼还是肚子疼？

③ 马大为愿意去医院吗？

④ 马大为去医院还是没去医院？

⑤ 马大为要住院吗？

3

① F　　② F　　③ F　　④ T

听力文本

（在医院）

医生：你哪儿不舒服？

病人：医生，我全身都不舒服。

医生：你有点儿发烧。

病人：我脑子很清楚，没有发烧。

医生：你是身体有病，不是脑子有病。

病人：我是什么病？

医生：你感冒了。

4

① 头疼　　② 天气　　③ 舒服　　④ 还是　　⑤ 哪儿

听力文本

① 我头疼。

② 今天天气很冷。

③ 全身不舒服。

④ 你看病还是他看病？

⑤ 你哪儿不舒服？

5

听力文本

发烧　　有病　　休息　　中药　　锻炼　　一起

6

听力文本

（在医院）

留学生：医生，我今天不能上课。

医　生：你哪儿不舒服？

留学生：我的肚子下雨。

医　生：哦，你是拉肚子，不是肚子下雨。

我认识了一个漂亮的姑娘

一、教学目的

1 掌握本课重点句型和重点词语的用法

（1）助词"了"（1）

（2）兼语句（1）

（3）能愿动词谓语句（3）：可能、会

（4）能愿动词小结

（5）形容词"多"和"少"作定语

（6）"人称代词/名词＋这儿/那儿"表示处所

（7）动词或动词词组作定语

2 掌握本课的"租房"、"征求建议"、"打电话"、"邀请"等功能项目，能初步就"租房"的话题进行交际。

3 掌握汉字

（1）会认、会写基本汉字：古、良、斤、事、步、电、户、方、豆、办、竹；

（2）会写部件：⺆、乑、⺮；

（3）会认、会写课文中已出现的汉字：姑娘、听、得、告诉、件、散（步）、（电）影、咖啡、宿舍、房（子）、租、厨（房）、厕所、公（司）、打、（电）话、让、帮助、喂、位、经理、饭、等。

4 了解有关词重音、词组重音和句调的规律，在朗读和会话中能正确运用。

二、教学步骤建议（略）

三、内容说明

1. 本课的重点句型是用动态助词"了"表示动作完成的句子。关于助词"了"的用法本课只是第一次介绍，将在以后的若干课中继续介绍。本课出现的是最容易理解的，即紧跟在动词之后表示该动作已完成的"了"，希望暂不要扩展到"了"的其他用法。要让学习者从一开始就明确"了"表示的完成不等于英语的过去时。本课还要让学习者养成这样的习惯：即在动词带"了"以后，其宾语不能是非常简单的词（如一个名词），而是要有附加成分，用得最多的是数量词定语。

2. 对以英语为母语的学习者来说，兼语句不难掌握。本课能愿动词又增加了一项：即表示可能性的"可能"与"会"。本课对已学过的能愿动词进行了小结，主要是按功能将能愿动词简明地归类，特别注意区分同一能愿动词的不同功能。要特别注意能愿动词的否定式和疑问式，可以让学习者将课本中所附的（小结）表配上例句。此外，本课还介绍了几个重点词语的用法。

四、《课本》注释与语法

1 助词"了"（1）

助词"了"加在动词后边，表示动作的实现或完成。例如：

比较：

你买了几个苹果？	你买几个苹果？
How many apples have you bought？	How many apples are you going to buy？
	How many apples will you buy？
我买了五个苹果。	我买五个苹果。
I have bought five apples.	I'm going to buy five apples.
	I will buy five apples.

带助词"了"的动词如果后边有宾语，这个宾语一般要带定语，最常带的定语是数量词或形容词、代词。如：

V + 了 + Nu-M / Pr / A + O

Subject	Predicate					
	Verb	了	Nu - M /	Pr	/ A	Object
我们	看	了	一 套			房子。
王小云	买	了	两 瓶			酒。
马大为	认识	了	一 个		漂亮的	姑娘。
马大为	吃	了			很多	中药。
我	介绍	了		那位		教授。
他	看	了			有名的	京剧。
她朋友	租	了		她的		房子。

　　如果宾语是不带定语的简单宾语（如"他买了苹果"或"大为得了感冒"），后面需要有其他成分才能构成完整的句子。如：

　　　　听说你得了感冒，现在你身体怎么样？

　　　　我去了医院，也吃了很多中药。

　　这种句子的否定式是在动词前加"没（有）"，同时要去掉动词后面的"了"。（不能用"不"否定）。如：

　　　　没（有）+ V O

　　　　我们没有找经理。

　　　　他没买酒。

　　正反疑问句式是"V没V"，或者用"了……没有"。如：

　　　　V + 没 V + O

　　　　你们看没看房子？

　　　　你们找没找经理？

　　　　V + 了 + O + 没有

　　　　你们看了房子没有？

　　　　你们找了经理没有？

　　注意：动作的完成只表明动作本身所处的阶段，它与动作发生的时间（过去、现在或将来）是不同的。完成的动作常常发生在过去，但也可以发生在未来。例如：

明天下午我买了本子再去吃饭。

Tomorrow afternoon I'll have supper after I have bought the notebooks.

而过去时间的动作并不一定都用动态助词"了"。如果是过去经常性的动作，或者只是一般地叙述过去的动作而不强调它是否完成时，都不用动态助词"了"。例如：

过去（in the past）他常常来看我。

去年（last year）我在美术学院学习美术。

② 兼语句（1）

兼语句也是一种动词谓语句，其谓语由两个动词结构构成，前一个动词的宾语又同时是后一个动词的主语。兼语句的前一个动词常常是"请"、"让"一类的带有使令意义的动词。

"请"和"让"都有要求别人做某事的意思，"请"用于比较客气的场合。"请"还有邀请的意思，例如："晚上我们请你和你朋友吃饭。"

Subject 1	Predicate 1			
	Verb 1	Object 1 (Subject 2)	Verb 2	Object 2
宋华	让	陆雨平	来帮助	他们。
陆雨平	请	经理	帮助	马大为。
妈妈	不让	她	喝	咖啡。

③ 能愿动词谓语句（3）：可能、会

能愿动词"可能"表示可能性。"会"除了表示"能力"以外，也能表示可能性。例如：

今年八月他可能去上海。

现在八点，他不可能睡觉。

明天他会不会来上课？

他得了感冒，明天不会来上课。

④ 能愿动词小结（附在《综合练习册》中）

我们已经学过的能愿动词有：

意愿 intention	想/不想/想不想	要/不想/要不要	愿意/不愿意/愿意不愿意
必须 necessity		要/不用/要不要	应该/不应该/应该不应该
允许 permission		能/不能/能不能	可以/不可以/可以不可以
能力 ability	会/不会/会不会	能/不能/能不能	可以/不能/可以不可以
可能 possibility	会/不会/会不会		可能/不可能/可能不可能

5 形容词 "多" 和 "少" 作定语

形容词 "多" 和 "少" 作定语时,前面一定要加上副词,如 "很" 等。要说 "很多中药"、"很多学生",不能说 "多中药"、"多学生"。"很多" 后面的 "的" 可以省略。

6 "人称代词／名词 + 这儿／那儿" 表示处所

动词 "来、去、到、在" 以及介词 "在" 等的宾语,一般是表示处所的词语。不表示处所的人称代词或名词,必须在后面加上 "这儿" 或 "那儿" 才能表示处所,作上述动词及介词的宾语。如 "来我这儿"、"去力波那儿"、"到我朋友那儿"、"在老师这儿",不能说 "来我" 或 "在老师" 等。

7 动词或动词词组作定语

动词或动词词组作定语,必须加 "的"。如 "有厨房的房子"、"给她的蛋糕"、"今天来的人" 等。前边已经学过:定语一定要放在被修饰的词语的前边。

五、语音教学

1 词的重音 (四)

(1) 带词尾 "子" 的双音节词,前一个音节重读,"子" 读轻声。例如:

　　　　本子　　　　嗓子　　　　房子

(2) 结构助词 "的" 永远读轻声。例如:

　　　漂亮的姑娘　　　我的女朋友　　　我的宿舍
　　　公司的房子　　　合适的房子　　　一间有厨房和厕所的房子

2　词组重音（四）

兼语句

＊兼语＋动词，动词重读。例如：

我们请你<u>参加</u>。

＊兼语＋动词＋宾语，宾语重读。例如：

让他帮助<u>我们</u>。

3　句调（三）

（1）用疑问代词的疑问句一般读高句调，疑问代词重读，句尾降低。例如：

什么事儿？↓

我应该怎么办？↓

哪一位？↓

（2）用"……了没有"格式的正反问句，全句的句调比较高。"没有"轻读，句尾降低。例如：

你们找了经理没有？↓

你吃了饭没有？↓

（3）句尾用"好吗"的问句全句句调可以分为两个部分。"好"字前读低句调，但这一部分的最后不是下降而是稍稍升高。在"好"前稍有停顿。"好"字重读，尾音拉长稍升，与"吗"构成句尾上升的高句调。例如：

星期六我跟你一起去租房公司，好吗？↑

我们去游泳，好吗？↑

六、教师参考语法知识

1　动态助词"了"

动态助词"了"表示动作、行为的完成，只出现在动词后。

在以下几种情况下，一定要用"了"。

（1）表示动作或行为在某一时刻已经完成或实现时，动词后要用"了"。如：

我昨天看了一本小说。

上星期，我们学了六课书。

昨天我丢了一个钱包。

（2）当一个动作或行为实现后，又出现（或将要出现）另一个情况时，第一个动词后要用"了"。如：

> 学了汉语，我就能看中国的电影了。
>
> 马大为认识了一个漂亮的姑娘，就立刻追求她。

"了"只表示动作的实现或完成，与动作发生的时间没有必然的关系，因此，"了"既可以表示过去完成的动作，也可以表示将来完成的动作。如：

> 明天我下了课就去找你。

2 兼语句（1）

兼语句是由一个动宾结构和一个主谓结构套在一起构成的，即前一个动宾结构的宾语作后一个主谓结构的主语。如：

> 我请你来。

上句中，"你"是"请你"中的宾语，又是"你来"中的主语，一个词兼作两种成分，所以上句中的"你"叫做"兼语"，具有这种结构的句子叫做"兼语句"。

兼语句的语法特点：

第一，第一个动词一般不能带"了、着、过"等动态助词。

第二，兼语主要由有生命的名词和代词充当，而且是第二个动词的施事。

从意义上看，兼语句分为几种类型，本课所学的兼语句表示使令意义。在这种句子中，第一个动词是表示使令意义的动词，如"使、请、让、叫、派"等。第一个动词所表示的动作是兼语所作动作的原因，也就是说，兼语的行为是第一个动词表示的动作引起的。如：

> 马大为请陆雨平吃饭。
>
> 陆雨平请经理帮助马大为。
>
> 妈妈不让我喝咖啡。

3 能愿动词（3）："可能"、"会"

"可能"表示客观上的可能性，这是它和"能"的区别（"能"表示主要表示主观能力或客观条件）。"可能"一般用于未然的动作或虚拟的情况。如：

> 今天可能下雨。
>
> 现在八点，他不可能睡觉。
>
> 他可能不认识这个人。

"会"表示可以实现。和"可能"不同的是，"会"既可用于未然的情况，也可用于已然的情况。如：

　　明天他会不会来上课？

　　他去了上海，明天不会来上课。

　　我没想到你今天会来上课。（已经来了）

七、教师参考文化知识：恋人的称呼

　　在恋爱阶段，中国人称恋爱对象为"男朋友"和"女朋友"，如："你有没有男朋友（女朋友）啊？"如果不特意说明性别，也可称"对象"，如"他（她）的对象是个教师"。

　　结婚以后，过去多用"爱人"指配偶，既可以指自己的妻子或丈夫，也可以指别人的妻子或丈夫，现在也还有很多人这样说。需要说明的是，"爱人"不能译成英语的lover，lover在汉语中用"情人"来表示。

八、《综合练习册》中部分练习答案和听力文本

2

听力文本

① 马大为找没找女朋友？

② 他去哪儿租房子？

③ 他看房子了吗？

④ 你租没租房子？

3

① T　　　② F　　　③ F

听力文本

中国的女孩子真漂亮

　　马大为有了女朋友，他很想告诉他的朋友们。星期一，他病了，林娜和丁力波去医院看他。在医院，他们看见一位很漂亮的中国姑娘。马大为很高兴，他说："我给你们介

绍一下，这是我的女朋友，她叫小燕子。"丁力波说："认识你很高兴。"小燕子说："认识你们，我也很高兴。"

4

① 请　② 租房　③ 认识　④ 了　⑤ 告诉

【听力文本】

① 我请你们吃饭。

② 他们找了租房公司。

③ 我认识了一个漂亮的姑娘。

④ 你去看病了吗？

⑤ 林娜，告诉你一件事。

5

【听力文本】

听说　散步　帮助　电影　咖啡　房子

6

【听力文本】

（在租房公司）

马大为：宋华，你能帮助我吗？

宋　华：什么事？

马大为：我想租一套房子。

宋　华：你为什么想租房子？

马大为：我有了一个女朋友。可是我的宿舍太小，她不能常来我这儿。

宋　华：好，没问题，我来帮助你。

祝你圣诞快乐
（复习）

一、教学目的

1 复习本书的重点句型和重点词语的用法

　　本课为复习课，除了介绍主谓结构作定语及"问……好"结构两个新的语法点外，主要是复习第七课到第十三课所学的重点句型和重点词语的用法，并着重归纳以下几个方面：

　　　　（1）主语、谓语、宾语、定语和状语

　　　　（2）四种汉语句子

　　　　（3）常用的六种提问方法

　　　　（4）定语和结构助词"的"

2 掌握"抱怨与致歉"、"转达问候"和"节日祝愿"等功能项目，能初步就"打电话谈每天的生活"及"节日"的话题进行交际。

3 掌握汉字

　　　　（1）会认、会写基本汉字：才、由、州；

　　　　（2）会写部件：又、羊、民、丁、尸、牛；

　　　　（3）会认、会写课文中已出现的汉字：圣诞、刚、邮局、寄、（打）扫、脏、洗、（外）婆、南（方）、旅行、留（学生）、念、（生）词、复（习）、练习、（语）法、节、礼物、欧洲、海。

4 了解有关句调的规律，在朗读和会话中能正确运用。

二、教学步骤建议

1　复习检查

2　新课的准备——词语教学

在上一课已布置预习本课生词的基础上，通过范读、领读、轮读、抽读等方式，让学习者进一步掌握生词。注意对组成生词语素的分析和连词组的练习，加深学习者对词义的理解和记忆并为学习句子打好基础。

朗读课文或放课文录音1~2遍，了解本课情境。

3　重点句型和词语的教学

引入本课的两个新语法点，经过机械性操练到活用的练习，最后对规则进行总结。

4　讲练课文

5　汉字教学

6　语音教学

7　语法复习

根据本课"语法"部分总结的内容（也可以选择其中的一部分），运用《综合练习册》中的练习材料，对主要句型进行练习。

8　功能项目复习

根据本课功能项目的小结（也可以选择其中的一部分）运用《综合练习册》中的练习材料，对主要功能项目进行复习。

9　布置作业

三、内容说明

本课除了要求掌握的生词和汉字外，新的内容不多。课文内容重现本册所学的主要句型和功能项目，对全册作一次总的复习。

四、《课本》注释与语法

1 主语、谓语、宾语、定语和状语（供教师复习参考）

汉语的句子一般可以分为主语和谓语两大部分。

主语的主要成分常常是名词或代词，谓语的主要成分常常是动词或形容词等。主语一般在谓语的前边。例如：

Subject	Predicate
老师	好。
我	是学生。
他	去看电影。

在对话中，主语常常省略。例如：

A：你学习什么？

B：（我）学习汉语。

如果语言环境清楚，谓语也可以省略。例如：

A：你忙吗？

B：我很忙，你呢？

宾语是谓语的一部分，通常在动词的后边。宾语一般是名词或代词，有的动词还可以有两个宾语。例如：

Subject	Predicate	
	V	O
他	是	加拿大人。
我	认识	他。
杨老师	教	我汉语。

定语主要修饰名词。名词、代词、形容词、数量词等都可作定语。定语必须放在它所修饰的名词之前。

状语主要是修饰动词或形容词的，副词、形容词、名词及介词结构都可以作状语。状语必须放在它所修饰的动词或形容词的前边。例如：

Subject	Predicate		
	Adverbial	V	O / A
我们	都很		忙。
我	多	穿了点儿衣服。	
他	星期天	去	商场。
我朋友	在宿舍	写	汉字。

2　四种汉语句子

汉语中带有主语和谓语的单句，按照谓语主要成分的不同可以分为以下四种：

（1）动词谓语句

动词作谓语主要成分的句子在汉语中占绝对优势，它的情况也比较复杂。我们已经接触到好几种动词谓语句，以后还将介绍更多的动词谓语句。例如：

> 林娜的男朋友是医生。
> 他有一个姐姐。
> 我们学习汉语。
> 她回学院上课。
> 我们请他吃饭。

（2）形容词谓语句

以形容词为谓语主要成分的句子不需要再加"是"。例如：

> 我很好。
> 他这两天太忙。

（3）名词谓语句

名词谓语句直接用名词、名词词组或数量词作谓语的主要成分，而不用动词"是"。这种句子特别用来表示年龄、价格等，口语中也用来表示时间、籍贯等。例如：

> 马大为二十二岁。
> 一斤苹果两块五。
> 现在八点半。
> 今天星期天。
> 宋华北京人。

（4）主谓谓语句

　　我们已经学过的主谓谓语句里，主谓结构中的主语所代表的事物常常是全句主语所代表的事物的一部分；主谓结构对全句的主语起描写、说明的作用。例如：

>　　你身体怎么样？
>
>　　我头疼。
>
>　　他学习很好。

3 常用的六种提问方法

（1）用"吗"提问

　　这是用得最多的问句，提问者对回答有一定的估计。如：

>　　您是张教授吗？
>
>　　你现在很忙吗？
>
>　　明天你不来学院吗？

（2）正反疑问句

　　这也是用得很多的问句，提问者对回答没有估计。如：

>　　你朋友认识不认识他？
>
>　　你们学院大不大？
>
>　　你有没有弟弟？
>
>　　他去没去那个公司？

（3）用疑问代词的问句

　　这种问句用来具体询问"谁"、"什么"、"哪"、"哪儿"、"怎么"、"怎么样"、"多少"、"几"等。如：

>　　今天几号？
>
>　　他是哪国人？
>
>　　他的房子怎么样？

（4）用"还是"的选择问句

　　提问者估计回答有两种（或更多的）可能性，让对方选择。如：

>　　他是英国人还是美国人？
>
>　　我们上午去还是下午去？
>
>　　你喜欢香蕉还是喜欢苹果？

（5）用"好吗？"（或"是不是？"、"是吗？"、"可以吗？"）的问句

用"好吗？"、"可以吗？"的问句常常用来提出建议，征求对方的意见；用"是不是？"、"是吗？"的问句常表示提问者已对某事有一种估计，需要进一步明确。如：

我们去锻炼，好吗？

您学习汉语，是不是？

（6）用"呢"的省略式问句

这种问句所问的内容必须在上文中已经表明。如：

我很好，你呢？

他上午没有课，你呢？

4 定语和结构助词"的"（附在《综合练习册》中）

定语和它所修饰的中心语之间，什么时候要加"的"？我们已经学过以下的规则：

（1）名词作定语表示领属关系，一般都要加"的"，如："张教授的名片"、"妈妈的电话"、"外语系的学生"。名词作定语说明中心语的性质，一般不用"的"，如"中国人"、"汉语学院"、"生日蛋糕"。

（2）人称代词作定语表示领属关系，一般要加"的"，如"我的书"、"你的照片"、"他的名字"。人称代词所修饰的中心语表示亲友称谓或所属单位，一般不用"的"，如"我爸爸"、"你们家"、"他们学院"。

（3）数量词（或指示代词和量词）作定语，不用"的"，如"三十五个学生"、"两斤苹果"、"这间房子"。

（4）单音节形容词作定语，不用"的"，如"男朋友"、"小狗"、"红酒"。双音节形容词作定语，一定要加"的"，如"有名的音乐"、"可爱的贝贝"。

（5）动词、动词结构、主谓结构作定语一定要加"的"，如"来的人"、"有厨房的房子"、"你住的宿舍"。

五、语音教学

1 句调（四）

用语气助词"呢"构成的简单问句，如果"呢"前边是一个单音节词，这个词要重读，尾音拉长，稍微降低，与"呢"构成句尾下降的高句调。例如：

圣诞节我和你爸爸想去欧洲旅行，你呢？↓

我很好，你呢？↓

2 三个以上的三声连读变调

三个以上的三声字相连，可以按语法关系划分音段（本书用符号"/"表示），先分成一个、两个或三个音节一组，然后再根据三声变调规律来念。紧连在一起的，前一个或前两个读第二声，稍有停顿的读半三声。例如：

我给你 / 买本子。（"我"、"给"、"买"读第二声，"你"、"本"读半三声。）
我 / 也想买 / 一个本子。（"我"、"买"读半三声，"也"、"想"读第二声。）

六、教师参考语法知识

1 句子成分

汉语的句子以主语和谓语为核心成分，绝大多数句子都是具有主语和谓语的，我们称为"主谓句"。有少数句子可以没有主语或谓语，我们称为"非主谓句"。

主语和谓语是句子的主要成分，主语是陈述、描写的对象，而谓语是对主语的陈述和描写。宾语、定语、状语、补语是句子的附加成分，其作用各有不同。

谓语中如果有宾语，就一定有动语（或称述语）。动语表示动作行为，宾语是动语的附加成分，它表示动作行为所支配、所关涉的对象。如"我写字"，"写"是动语，"字"是宾语。

定语是名词性词语里中心语前面的修饰语，在句子中常出现在主语和宾语前，起修饰、限定的作用。

状语是谓词性词语（动词、形容词）里中心语前面的修饰语，在句子中常出现在谓语前，说明动作发生的时间、地点、方式等。

补语是谓词性词语（动词、形容词）里中心语后面的补充成分，在句子中常出现在谓语后面，多由谓词性词语充任。

汉语的基本语序是：

定语 + 主语 + 状语 + 动语 + 补语 + 定语 + 宾语

2 四种谓语句

汉语的主谓句，按照谓语性质的不同，可以分成四类：动词谓语句、形容词谓语句、名词谓语句、主谓谓语句。

（1）动词谓语句是以动词为谓语主要成分的句子，它又有几种不同的类型，即只有动词，没有其他成分的；带状语的；带单宾语的；带双宾语的；带补语的。具体例子见下表。

动词谓语句					
主语	状语	动语	补语	近宾语	远宾语
马大为	刚才	问		我	一个问题。
马大为	刚才	问		我。	
马大为	刚才	问。			
马大为		问。			
马大为		问了	一下。		

（2）形容词谓语句是以形容词为谓语的句子，形容词直接作谓语，中间不需要"是"或其他动词。如：

　　　我很好。

　　　他很忙。

　　　这种东西很贵。

（3）名词谓语句是由名词、代词、数量词、"的"字词组等名词性结构作谓语的句子。名词谓语句一般都很短，修饰成分很少。名词谓语句的用途见下表。

用途	名词谓语句	
	主语	谓语
说明天气、时间、籍贯等	昨天	阴天。
	现在	八点。
	林娜	英国人。
说明主语某方面的数量特征，如年龄、身高、体重等	他	十八岁。
	马大为	一米九。
	体重	八十千克。
说明等价关系	一斤苹果	两块钱。
	一年	十二个月。
描写主语的特征、属性等	他	黄头发，蓝眼睛。

（4）主谓谓语句是由主谓结构作谓语的句子。我们已经学过一种类型的主谓谓语句，即小主语是大主语的所属部分。在这种句子里，小主语和大主语的关系比较密切，小主语或者是大主语的一部分，或者是大主语的某种属性。

小主语是大主语的部分：

> 我头疼。
>
> 他身体很好。
>
> 林娜头发很长。

小主语是大主语的属性：

> 中国地域辽阔，但人口众多。
>
> 马大为身高一米九，体重八十千克。
>
> 丁力波学习很好。
>
> 北京气候不太好。

3 疑问句

汉语的疑问句共有四类六种：是非问句、特指问句、正反问句、选择问句。分类及例子见下表：

疑问句		
类型	形式	例子
是非问句	陈述句 + 吗？	您是张教授吗？
	陈述句 + 好吗/对吗/是吗？	您是张教授，是吗？ 你是学生，对吗？ 我们去锻炼，好吗？
特指问句	使用疑问代词	这是什么？ 他是谁？ 你身体怎么样？ 这是哪儿？ 你们学校有多少学生？ 你们家有几口人？
	"名词+呢"的省略形式	人呢？ 词典呢？ 马大为呢？
正反问句	V / A + 不 + V / A	你认识不认识他？ 你忙不忙？
选择问句	选择一 + 还是 + 选择二	他是英国人还是美国人？ 我们上午去还是下午去？ 你喝咖啡还是喝茶？

七、教师参考文化知识：中国的节日

圣诞节是西方的重要节日。中国的主要节日有：元旦（一月一日，也叫新年）、春节（农历正月初一）、端午节（农历五月初五）、国庆节（十月一日）、中秋节（农历八月十五）。春节是中国的传统节日，也是最重要的节日，在以后的课文里，我们将对春节有所介绍。

近年来，在中国，一些年轻人也流行过圣诞节，他们相互赠送贺卡、鲜花、礼品等，也十分热闹。

八、《综合练习册》中部分练习答案和听力文本

2

听力文本

① 圣诞节是几月几号？

② 圣诞节你和爸爸、妈妈一起吃饭吗？

③ 你常常给你的爸爸、妈妈打电话吗？

④ 你常去旅游吗？

⑤ 你常复习生词和语法吗？

3

① T　　② F　　③ F　　④ F

听力文本

马大为：圣诞节我们一起唱卡拉OK，怎么样？

林　娜：我们去吃火鸡吧。

丁力波：我请你们大家去我家过圣诞节。

林　娜：力波，你在中国哪儿有家？

丁力波：我外婆的家在中国，林娜，你别忘了，我妈妈是中国人。

大　家：那好！我们就去丁力波家过圣诞节。

4

① 电话　② 中国音乐　③ 一下　④ 快乐

听力文本

1　我给你打电话。

2　他们都喜欢中国音乐。

3　请等一下。

4　祝你圣诞快乐！

5

听力文本

邮局　　打扫　　中学　　礼物　　圣诞节　　打工

6

听力文本

（在订票处）

服务员：你要去哪儿旅行？

马大为：我想去上海旅游。

服务员：上海的火车票很难买。

马大为：你能不能帮我查查？

服务员：我查了。今天的火车票卖完了。

马大为：没关系，我要买明天的票。

七～十四课单元测试（笔试）
Unit Test for Lesson 7 to 14
(Written Exam)

班级 Class：_____

姓名 Name：_____

成绩 Score：_____

测试 🎧 3
一～三

一 **请把你听到的音节（包括声调）填到横线上。（8%）**

Please fill in the blanks with correct *pinyin* with correct tone marks.

（共12题，1～10题每题0.5分，11题1分，12题2分，共计8分）

1. _____ 2. _____ 3. _____ 4. _____ 5. _____

6. _____ 7. _____ 8. _____ 9. _____ 10. _____

11. _____ .

12. _____ . _____ .

_____ , _____ . _____ .

_____ .

二 **请听两遍下面的对话，并判断下列说法是否正确。（22%）**

Listen to the following dialogues twice and decide whether the statements are true or false. (Write T for true and F for false.)

（共22题，每题1分，共计22分）

1 （在校园里 On the campus）

Statements:

（1）小王不认识张大华。　　　　（　　）

（2）小张的名字叫张大华。　　　　（　　）

（3）张大华不是中国人。　　　　（　　）

（4）张大华的妈妈是上海人。　　　　（　　）

（5）张大华的爸爸是北京人。　　　　（　　）

（6）张大华家有四口人。　　　　（　　）

（7）小王有一个哥哥。　　　　（　　）

（8）张大华有一个弟弟。　　　　（　　）

（9）张大华的弟弟是记者。　　　　（　　）

（10）张大华的专业是英语。　　　　（　　）

2 （在商场里 In a department store）

Statements:

（1）王医生不忙。　　　　　　　　（　　）

（2）陈老师很忙。　　　　　　　　（　　）

（3）陈老师上午有课，下午没有课。（　　）

（4）陈老师晚上十二点睡觉。　　　（　　）

（5）王医生买了香蕉和苹果。　　　（　　）

（6）明天是王医生朋友小杨的生日。（　　）

（7）陈老师要买圣诞礼物。　　　　（　　）

（8）陈老师不知道要买什么礼物。　（　　）

（9）小杨常喝咖啡。　　　　　　　（　　）

（10）小杨常听音乐。　　　　　　　（　　）

（11）商场里没有光盘。　　　　　　（　　）

（12）王医生不认识小杨。　　　　　（　　）

三 请听句子，并填空。（10%）

Listen to the following sentences and fill in the blanks.

（共10题，每题1分，共计10分）

1. 我是＿＿＿＿＿人，他是＿＿＿＿＿＿＿人。

2. 祝你＿＿＿＿＿＿＿＿＿！

3. 马大为＿＿＿＿＿＿＿。

4. 一斤苹果＿＿＿＿＿钱？

5. 林娜＿＿＿＿说一点儿＿＿＿＿＿。

6. 今天＿＿＿我不能＿＿＿＿，你＿＿＿＿＿＿说一下。

7. 他＿＿＿＿了一个记者，他们＿＿＿一起＿＿＿咖啡。

8. 我＿＿＿＿＿＿陆小姐＿＿＿＿我们。

9. 妈妈＿＿＿我＿＿＿你们＿＿＿。

10. 我们＿＿＿有＿＿＿个人，我们是＿＿＿＿＿。

四 请写出下列汉字的笔画数。 （6%）

Write the stroke number for each character.

（共12题，每题0.5分，共计6分）

1. 来（　　）　　2. 很（　　）　　3. 家（　　）　　4. 年（　　）

5. 对（　　）　　6. 半（　　）　　7. 回（　　）　　8. 衣（　　）

9. 身（　　）　　10. 复（　　）　　11. 念（　　）　　12. 书（　　）

五 请选择下列汉字的意义。 （5%）

Find the meanings represented by the characters in the left cloumn and write the corresponding letters in the parentheses.

（共10题，每题0.5分，共计5分）

汉字 Chinese characters	意义 Meanings
1. 看（　　）	a. to sell
2. 狗（　　）	b. winter
3. 卖（　　）	c. dog
4. 写（　　）	d. cold
5. 冬（　　）	e. to look
6. 步（　　）	f. to write
7. 寄（　　）	g. festival
8. 冷（　　）	h. to wait
9. 等（　　）	i. to post, to mail
10. 节（　　）	j. step

六 请用所给词语组成句子。 （10%）

Write sentences with the words given.

（共5题，每题2分，共计10分）

1. 语言　我们　学院　汉语　在　学习

2. 课　张　十二月　老师　没有　下午　二十八号　二〇一〇年

3. 还是　电影　听　你　看　愿意　音乐　愿意

4. 吃饭　我　晚上　和　你　明天　请　想　你朋友

5. 去　点儿　我　邮局　给　刚才　东西　我女朋友　了　寄

七 请用"会、能、可以、应该、要、想、可能"填空。 （9%）

Fill in the blanks with "会，能，可以，应该，要，想，可能".

（共9处，每处1分，共计9分）

　　　　丁力波星期三＿＿（1）＿＿去上海旅行，他＿＿（2）＿＿请王小云跟他一起去。他给小云打电话，问她＿＿（3）＿＿去。小云说，她很＿＿（4）＿＿去，可是（but）她星期三＿＿（5）＿＿有事儿，不＿＿（6）＿＿去。力波说："上海很漂亮，也很有意思，你＿＿（7）＿＿去上海旅行。"小云问："星期五去，好吗？"力波说："星期五去也＿＿（8）＿＿。我哥哥＿＿（9）＿＿开车（to drive a car），我让他跟我们一起去。"小云很高兴，说："太好了！"

（1）＿＿＿＿　（2）＿＿＿＿　（3）＿＿＿＿　（4）＿＿＿＿　（5）＿＿＿＿

（6）＿＿＿＿　（7）＿＿＿＿　（8）＿＿＿＿　（9）＿＿＿＿

八 判断下列句子的语法是否正确。 （10%）

Decide whether the following sentences are grammatically correct or wrong. Write "✓" for correct, "✕" for wrong.

（共10题，每题1分，共计10分）

1. 他是不是你们学院的王老师吗？　　　　　　　　　　（　　）
2. 小云有一张她们家的照片。　　　　　　　　　　　　（　　）
3. 我们学院有二十六个老师，你们学院呢？　　　　　　（　　）
4. 我们都也喜欢中国音乐。　　　　　　　　　　　　　（　　）
5. 这的个苹果多少钱一斤？　　　　　　　　　　　　　（　　）
6. 我们二十五号十二月二〇一〇年一起祝贺圣诞，好吗？（　　）
7. 老师，我应该问您一个问题吗？　　　　　　　　　　（　　）
8. 我认识了一位漂亮的姑娘，她不能常来我这儿。　　　（　　）
9. 大为，你现在要睡觉还是要看书？　　　　　　　　　（　　）
10. 你住宿舍有几个学生？　　　　　　　　　　　　　　（　　）

九 阅读下面的短文，并回答问题。（10%）

Read the passage and answer the questions.

（共10题，每题1分，共计10分）

　　白小明和王元是好朋友。白小明是加拿大人，王元是美国人。白小明在中文系学习汉语，王元在美术学院学习美术专业。星期六，王元的女朋友得了感冒，她头疼，嗓子也疼，全身都不舒服。王元要去看她。他知道她很喜欢中国画（Chinese painting），星期天他想去商场买张中国画送给她。可是（but）他不会说汉语，怎么办呢？王元给好朋友白小明打了一个电话，请小明来帮助他。小明的汉语很好，他帮助王元买了中国画。王元很高兴。

问题 Questions:

1. 白小明的女朋友是王元吗？

2. 王元是不是加拿大人？

3. 白小明学习什么专业？他在哪儿学习？

4. 王元的女朋友什么时候得了感冒？

5. 王元想送他女朋友什么礼物？

6. 王元去哪儿买中国画？

7. 王元会说汉语吗？

8. 王元请谁来帮助他？

9. 白小明的汉语好吗？

10. 王元买中国画了吗？

十 请写一段短文，描述你的家庭和朋友/同学，下列词语可作为写作提示。 （10%）

Please write a short paragraph describing your family and your friends/classmates.
The following words or phrases can be used.

我们家　　有　　人　　是　　做……工作　　好朋友　　一起　　学习

汉语　　常常　　写汉字　　念生词　　复习课文　　练习口语　　语法问题

听音乐　　打球

七～十四课单元测试（笔试）
（教师参考答案）

一

1. xiànzài（现在）　　　2. míngzi（名字）　　　3. dāngrán（当然）

4. hóngjiǔ（红酒）　　　5. xiāngjiāo（香蕉）　　　6. shuìjiào（睡觉）

7. yuànyì（愿意）　　　8. shūfu（舒服）　　　9. cèsuǒ（厕所）

10. shēngcí（生词）

11. Wǒmen dōu shì Yǔyán Xuéyuàn Hànyǔ xì de liúxuéshēng.

（我们都是语言学院汉语系的留学生。）

12. Wǒ rènshi tā. Tā de míngzi jiào Mǎ Qiáng. Tā jīnnián shíbā suì, Shànghǎi rén. Tāmen jiā yǒu sān kǒu rén. Tā huì shuō yìdiǎnr Yīngyǔ.

（我认识他。他的名字叫马强。他今年十八岁，上海人。他们家有三口人。他会说一点儿英语。）

二

（1）F　　　（2）T　　　（3）F　　　（4）F　　　（5）T

（6）T　　　（7）F　　　（8）F　　　（9）F　　　（10）T

听力文本

A：小王，那是谁？

B：那是小张。

A：他叫什么名字？

B：他叫张大华。

A：他是不是中国人？

B：是。他是北京人。他爸爸、妈妈也都是北京人。

A：他们家有几口人？

B：四口人。他还有一个哥哥。

A：他哥哥做什么工作？

B：他哥哥是记者。

A：小张学习什么专业？

B：英语，他是英语系的学生。

2

（1）F	（2）T	（3）F	（4）T	（5）T
（6）F	（7）F	（8）T	（9）F	（10）T
（11）F	（12）F			

听力文本

A：陈老师，你好。

B：你好，王医生。你怎么样？忙不忙？

A：我很忙。你呢？

B：也忙。我上午、下午都有课，晚上十二点睡觉。

A：你真忙。你应该多休息。

B：是啊。你在这儿买什么？

A：我买了一点儿苹果和香蕉。你呢？

B：明天是我好朋友小杨的生日，我要给他买一件生日礼物。

A：噢，小杨过生日啊。你想买什么礼物？

B：不知道。你说我应该买点儿什么？

A：他常看电影吗？

B：不，他不常看电影。

A：他常喝咖啡吗？

B：他也不常喝咖啡。

A：他常听音乐吗？

B：对，他常常听音乐。

A：那你可以给他买几张音乐光盘。

B：太好了。这儿有没有光盘？

A：有，在那儿卖。

B：谢谢你，王医生。

A：不用谢。问小杨好，祝他生日快乐。

B：好。

三

1. 中国　　加拿大
2. 生日快乐
3. 买本子
4. 多少

5. 会　　　　　汉语

6. 下午　　　　去上课　　　　跟老师

7. 认识　　　　常常　　　　　喝

8. 想请　　　　帮助

9. 让　　　　　问　　　　　　好

10. 宿舍　　　　两　　　　　　好朋友

听力文本

1. 我是中国人，他是加拿大人。

2. 祝你生日快乐！

3. 马大为买本子。

4. 一斤苹果多少钱？

5. 林娜会说一点儿汉语。

6. 今天下午我不能去上课，你跟老师说一下。

7. 他认识了一个记者，他们常常一起喝咖啡。

8. 我想请陆小姐帮助我们。

9. 妈妈让我问你们好。

10. 我们宿舍有两个人，我们是好朋友。

四

1.（7）　　2.（9）　　3.（10）　　4.（6）　　5.（5）　　6.（5）

7.（6）　　8.（6）　　9.（7）　　10.（9）　　11.（8）　　12.（4）

五

1.（e）　　2.（c）　　3.（a）　　4.（f）　　5.（b）

6.（j）　　7.（i）　　8.（d）　　9.（h）　　10.（g）

六

1. 我们在语言学院学习汉语。

2. 张老师二〇一〇年十二月二十八号下午没有课。

3. 你愿意看电影还是愿意听音乐？/你愿意听音乐还是愿意看电影？

4. 明天晚上我想请你和你朋友吃饭。

5. 我刚才去邮局给我女朋友寄了点儿东西。

七

（1）要　　（2）想　　（3）想不想/能不能　　（4）想　　（5）可能

（6）能　　（7）应该　　（8）可以　　　　　（9）会

八

1. ✕　　2. ✓　　3. ✓　　4. ✕　　5. ✕

6. ✕　　7. ✕　　8. ✓　　9. ✓　　10. ✕

九

1. 不是，王元是白小明的好朋友。

2. 不是，他是美国人。

3. 他学习汉语专业，他在中文系学习。

4. 星期六。

5. 他想送女朋友中国画。

6. 去商场。

7. 不会说汉语。

8. 他请白小明来帮助他。

9. 很好。

10. 王元买了中国画。

十

（回答这部分题有一定的灵活性，故略去参考答案。）

七～十四课单元测试（口试）
Unit Test for Lesson 7 to 14
(Oral Exam)

注：此单元测试也可在学生之间相互进行。

一 请回答下列问题。（60%）
Please answer the following questions.

（共12题，每题5分，共计60分）

说明：教师在以下内容中选取12个问题向学生提问（口语测试应每个学生依次进行，并对测试情况进行录音，以便整理和分析），根据学生口头回答的语言表现给出综合评定，包括语音表现与词汇和语法的准确性，具体比例如下：语音表现30%，词汇的准确性30%，语法的准确性40%。

问题 Questions

1. 你学习什么专业？

2. 你认识不认识***（某同学/老师的名字）？

3. 你们家有几口人？

4. 你有没有男/女朋友？

5. 今天星期几？

6. 明天几月几号？

7. 你今年多大？

8. 你星期五上午有没有课？

9. 这个汉语怎么说？（用手指书或本子）

10. 现在几点？

11. 你每天几点上课/下课/吃饭/学习/睡觉？

12. 你想去打球还是想去看电影？

13. 你会说汉语吗？

14. 你住的宿舍有几个人？

二 成段表达。（40%）
Oral expression.

说明：学生在以下内容中抽取一个题目（也可以让学生抽取两个题目，从中选取一个做成段表达），准备5至10分钟后进行口头表述，教师根据学生口头的语言表现给出综合评定，包括语音表现与词汇和语法的准确性，具体比例如下：语音表现30%，词汇的准确性30%，语法的准确性40%。

主题　Topics

1. 说说你自己。

   Please describe yourself.

2. 说说你们学校。

   Please describe your school.

3. 谈谈你的专业。

   Please describe your major.

4. 描述你的一个朋友。

   Please describe one of your friends.

5. 描述你的一次有趣的经历，如购物、看病、寄包裹、寄信等。

   Please describe one of your interesting experiences, such as shopping, seeing a doctor, mailing a parcel or letter, etc.

6. 描述一下你的一天。

   Please describe one day in your life.

附 录

《新实用汉语课本》（第2版） 第1册
《综合练习册》使用说明

　　《新实用汉语课本》（第2版）系列教材包括《课本》（Textbook）、《综合练习册》（Workbook）和《教师用书》（Instructor's Manual），全面满足师生课上课下的不同需求。其中，《综合练习册》主要供学习者课下练习使用。除了汉字练习外，还设有语音、词汇、语法的练习，以及听、说、读、写、译全面的技能训练和交际训练。

《新实用汉语课本》（第2版）第1册《综合练习册》练习设计原则

1 平衡原则

　　听、说、读、写、译几方面均衡发展，平衡设计。

2 弹性原则

　　（1）题量适度加大，便于教师选择。

　　（2）练习设计尽量体现出由易到难的坡度性，容易的安排在前面，较难的安排在后面。如教学时间有富余或学生学有余力，则可在完成前面容易的练习后，再选择完成后面较难的练习。

3 语音贯穿性原则

　　第1册《综合练习册》实行语音贯穿性原则。前六课为语音阶段，在听、说练习部分设计多项语音练习，供学习者课上或课下集中练习本课的语音重点与难点。七～十四课在听、说练习部分设计了"语音与语音练习"板块，该板块为语音阶段后语音教学和语音训练的延伸，以练习本课新出现的语音内容，并复习巩固前面语音阶段的语音重点与难点。

《新实用汉语课本》（第2版）第1册《综合练习册》的练习设计

　　以下介绍第1册《综合练习册》的练习设计、示例及设计思想，以便老师们能够更为方便有效地指导学生使用。当然，并非每课均包括以下所有练习类型，但设计时保证了听、说、读、写、译等多方面技能与交际训练的均衡性。

一～六 课语音阶段练习设计

听说练习 *Listening and Speaking Exercises*

1 听录音，圈出正确的语音。
Circle the right sound according to what you hear on the CD.

例：a ⓤ e o

说明：此项练习包括声母的辨别、韵母的辨别、声韵组合的辨别三部分，注意难音、重点音的辨别，如送气与否、舌尖前中后音、前后鼻音等。

2 听录音，圈出正确的声调。
Circle the right tone according to what you hear on the CD.

例：āi ái ⓐǐ ài

说明：此项练习包括韵母的四声辨别、声韵组合的四声辨别两部分。

3 听录音，为下列音节标出正确的声调。
Mark the correct tone on the following syllables according to what you hear on the CD.

例：gai (gǎi)

说明：此项练习主要针对声韵组合的四声辨别与标注，包括单音节、双音节或多音节的声调标注。

4 圈出轻声，注意：每一组里可能有不止一个轻声。
Circle the neutral tone, note that in each group, the neutral tone may appear more than once.

例：A. ni hao B. ⓜⓐⓜⓐ C. Ding Libo D. ⓝⓘ ⓝⓔ

说明：此项练习根据当课内容有所变换，如变换为练习三声变调、"一、不"的变调等。

5 读下列音节和句子。

Read the following syllables and sentences.

例：bāi bái bǎi bài

Nǐ hǎo.

Wǒ hěn hǎo.

说明：此项练习声韵调及其组合。

6 听对话，并完成练习。

Listen to the dialogues and do the following exercises.

(1) Repeat the dialogues.

(2) Answer the questions.

例：What are they doing？ _____

How is the man in the first dialogue doing? _____

In the second dialogue does Lin Na know Libo? _____

How is Lao Li doing in the third dialogue? _____

［听力文本］

（1）A：你好吗？

B：我很好，你呢？

（2）林　娜：力波，你好！

丁力波：你好，林娜。

（3）A：老李，你好吗？

B：我很好，你呢？

A：我也很好。

说明：此项练习除了模仿对话、回答问题以外，有时也设计为其他形式的听力理
解题，如多项选择、判断正误等形式。

7 听录音，写拼音。

Listen and write in *pinyin*.

例：

［听力文本］

yì běn shū（一本书）　　Wǒ xǐhuan xuéxí Hànyǔ.（我喜欢学习汉语。）

8 听录音，写汉字。

Listen and write characters.

例：

┌─────────┐
│ 听力文本 │
└─────────┘

书　喜欢　汉语

9 角色扮演。

Role-play.

Listen to and imitate the dialogue together with your partner.

例：

┌─────────┐
│ 听力文本 │
└─────────┘

林　娜：你好，力波!

丁力波：林娜，你好。

林　娜：你好吗?

丁力波：我很好。你呢?

林　娜：也很好。

读写练习 *Reading and Writing Exercises*

1 根据正确的笔顺描汉字，并在空格里写汉字。

Trace over the characters, following the correct stroke order. Then copy the characters in the blank spaces.

例：

一	一	一	一					
八	丿八	八	八					

说明：此项练习汉字的书写，尤其是汉字的笔画与笔顺。

2 在空格里写汉字，注意汉字的部件。

Write the characters in the blank spaces, paying attention to the character components.

例：

lín	木 + 木	林							

3 为下列汉字标注拼音，并在括号里写出笔画数。

Give the *pinyin* of the following characters and write the stroke numbers in the parentheses.

例：们   <u>men</u>   （5）

4 为每个汉字找出相应的图画，并连线。

Find the correct drawing of each Chinese character. Draw a line to connect the two.

例：

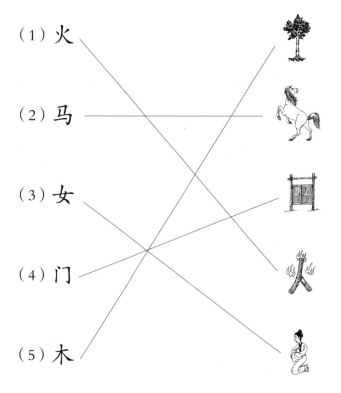

（1）火

（2）马

（3）女

（4）门

（5）木

5 选择恰当的汉字填空。

Fill in the blanks with the correct characters.

例：林娜不_____宿舍。（B）

　　A. 再　　B. 在　　C. 坐

6 根据所给拼音，从第二行找出能与第一行汉字组词的汉字，并连线。

Find a character in the second line which can be combined with a character in the first line to make a word according to the *pinyin* provided. Draw a line to connect the two.

例：

（1）wàiyǔ　（2）lǎoshī　（3）yīshēng　（4）Zhōngguó　（5）tāmen

他　　老　　中　　医　　外

生　　们　　语　　国　　师

7 为下列句子标注拼音，并译成英文。

Write the *pinyin* of the following sentences and then translate the sentences into English.

例：

A：你好吗？

_____?

_____?

B：我很好，你呢？

_____?

_____?

A：我也很好。

_____.

_____.

8 用"……"填空。

Fill in the blanks with "...".

例： Fill in the blanks with "吗，呢".

你好_____？（吗）

我很忙，你_____？（呢）

说明：此项练习结合语法或注释点设计，既练汉字，又练本课主要语法点。备选项可以是词也可以是词组，还可以不提供备选项。

9 用所给词语造句。

Write sentences with the words given.

例：宿舍　　我　　在　　（我在宿舍。）

说明：此项练习既练汉字，又练语序。

10 连接Ⅰ和Ⅱ两部分的词或词组，组成句子。

Make sentences by matching words from part I with those from part II. Draw a line to connect them.

例：

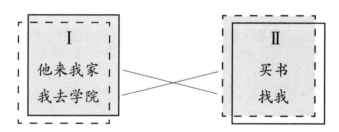

说明：此项练习可以是词组连接成句子，也可以是连接问与答，还可以是词与词连接成词组。

11 把下列句子译为中文。

Translate the following sentences into Chinese.

例： I'm American.（我是美国人。）

说明：此项练习也可提供汉语提示词或词组。

12 不看课本，尽量写出本课出现的汉字。

Write as many characters as you can from this lesson without looking at the book.

说明：此项练习对应课文的内容，有时也设计为其他形式活跃的写字练习，如要求学生写下自己的中文名字、写出自己的家庭成员等。

13 看图写句子。

Write a few sentences describing the picture below.

例：

说明：此项练习为看图写作，可以给出一些提示语或要求使用的词或词组。

七～十四课练习设计

 听说练习　*Listening and Speaking Exercises*

1 发音练习。

Pronunciation drills.

该项语音与语音练习为语音阶段后语音教学和语音训练的延伸。

（1）结合本课新出现的语音内容进行练习，如词重音、词组重音、句调等。

（2）针对前六课的语音内容（重点与难点）进行复习巩固，并结合本课进行语音练
习，注意声韵调的辨别、声韵组合的辨别、难音和重点音的辨别、变调等。

2 听问题，圈出正确的回答。

Listen to each question and circle the correct answer.

例：

听力文本

你认识马大为吗？

A. 我介绍　　B. 认识　　C. 在那儿　　D. 学生

说明：此项也有其他形式的听力理解题，如回答问题等。

3 听对话，并判断正误。

Listen to the following dialogue and decide whether the statements are true (T) or false (F).

例：

（1）他很忙。　　（T）

（2）她也很忙。　（F）

[听力文本]

A：你好吗？

B：我很好。你忙吗？

A：我不忙，你呢？

B：我很忙。

说明：此项也有其他形式的听力理解题，如多项选择、回答问题等。

4 听录音，并填空。

Listen and fill in the blanks.

例：你学习＿＿＿＿吗？（汉语）

说明：这是一种填写汉字的练习，开始是一个句子，以后可逐渐变为短小的语段。

5 听录音，写汉字。

Listen and write characters.

例：

[听力文本]

买书　　他是老师。

6 角色扮演。

Role-play.

Listen to and imitate the dialogue together with your partner.

例：

[听力文本]

林　娜：你好，大为！这是我的中国朋友小云。

马大为：她也是我的中国朋友。

林　娜：你们认识？

马大为：我们认识。

王小云：你们都是我的好朋友。

 读写练习 *Reading and Writing Exercises*

1 根据正确的笔顺描汉字，并在空格里写汉字。

Trace over the characters, following the correct stroke order. Then copy the characters in the blank spaces.

例：

| 开 | 一 二 干 开 | 开 | 开 | | | | | | | |

说明：此项练习汉字的书写，尤其是汉字的笔画与笔顺。

2 在空格里写汉字，注意汉字的部件。

Write the characters in the blank spaces, paying attention to the character components.

例：

| shéi | 讠 + 隹 | 谁 | | | | | | | | |

3 把下列汉字分解成部件。

Divide the following characters into character components.

例：剧→尸 + 古 + 刂

4 为下列汉字标注拼音，并把每组汉字共同的部首写在括号里。

Give the *pinyin* of the following characters and write the radicals common to the characters in each group in the parentheses.

例： mā 妈　jiě 姐　mèi 妹　hǎo 好　gū 姑　niáng 娘　tā 她　nà 娜 （女）

5 选择恰当的汉字填空。

Fill in the blanks with the proper characters.

例：你们家有＿＿＿＿口人？（B）

A. 心　　B. 几　　C. 儿

6 根据所给拼音，从第二行找出能与第一行汉字组词的汉字，并连线。

Find a character in the second line which can be combined with a character in the first line to make a word according to the *pinyin* provided. Draw a line to connect the two.

例：

（1）kāixué　　（2）xìngmíng　　（3）zhuānyè　　（4）yīyuàn　　（5）Zhōngguó

7 为下列句子标注拼音，并译成英文。

Write the *pinyin* of the following sentences and then translate the sentences into English.

例：

（1）马大为是美国人。

＿＿＿＿＿＿＿＿＿＿＿＿＿＿＿.

＿＿＿＿＿＿＿＿＿＿＿＿＿＿＿.

（2）你认识不认识林娜？

＿＿＿＿＿＿＿＿＿＿＿＿＿＿＿?

＿＿＿＿＿＿＿＿＿＿＿＿＿＿＿?

（3）丁力波是不是加拿大人？

＿＿＿＿＿＿＿＿＿＿＿＿＿＿＿?

＿＿＿＿＿＿＿＿＿＿＿＿＿＿＿?

8 根据所给拼音，用括号里的汉字造句。

Organize the characters in parentheses into Chinese sentences according to the *pinyin* given.

例：Wáng Xiǎoyún jiā yǒu sì kǒu rén.

（小云王口人有四家）

_____。

9 猜字谜。

Character riddle.

例： 人有"他"大，

天没"他"大。

请问"他"是谁？

你也认识"他"。

（The key is a character.）

10 完成下列对话。

Complete the following dialogues.

例： A：_____？ （他是谁？）

B：他是张教授。

11 连接Ⅰ和Ⅱ两部分的词或词组，组成句子。

Make sentences by matching words from part Ⅰ with those from part Ⅱ. Draw a line to connect them.

例：

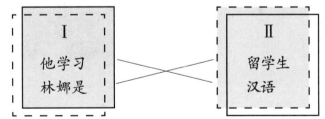

说明：此项练习可以是词组连接成句子，也可以是连接问与答，还可以是词与词
连接成词组。

12 把下列陈述句变为疑问句。

Change the following statements into questions.

例： 我是学生。 → 你是学生吗？

说明：此项练习是句型变换练习，也可反过来，将问句变为陈述句。

13 用所给词语造句。

Make sentences with the words given.

例：认识（我认识小王。）

说明：此项练习也可以指定造哪一类句子，如一般疑问句、兼语句、正反疑问句等。

14 根据本课课文判断正误。

Decide whether the following statements are true (T) or false (F) according to the text of this lesson.

例：林娜后天开学。（F）

说明：此项练习结合本课的"课文"和"阅读与复述"进行，让学生判断正误。

15 选择正确的答案。

Choose the correct answers.

例：你在_____工作？（A）

    A. 哪儿　　　B. 我　　　C. 医生　　　D. 谁

说明：此项练习主要语法点与注释项目。

16 写一段话描述下列图片。

Write a short paragraph describing the pictures below.

例：

说明：此项练习为看图写句子。

17 判断下列句子的语法是否正确。

Decide whether the following statements are grammatically correct (✓) or wrong (✗).

例：他很忙。（✓）

说明：此项练习主要语法点与注释项目。

18 读对话，并回答问题。

Read the dialogue and answer the questions.

例：林　娜：我们现在去游泳，好吗？

　　王小云：对不起，我现在很忙，没有时间去。

　　林　娜：明天你有时间吗？

　　王小云：明天我去看京剧，也不行。

问题 Questions

（1）王小云忙吗？

（2）王小云现在有时间去游泳吗？

（3）王小云明天做什么？

说明：每篇短文或对话都配上多项选择、正误判断或问答题。

19 用学过的汉字描述……

Use the characters you have learned to describe...

例：Use the characters you have learned to describe one of your friend. (more than 20 characters)

20 找句子。

Seek and Find.

Try to find as many sentences or questions as possible from the following list of characters. Look horizontally, vertically and diagonally. Circle each sentence or question and copy it.

例：（你好。　我不忙。　你呢？　我很好。）

说明：此项也可换为其他形式的趣味题，如 Crossword Puzzle。